Enid Blyton

LE CLUB DES CINQ

aux sports d'hiver

hachette
JEUNESSE

FRANÇOIS

12 ans.
L'aîné des enfants, le plus raisonnable aussi.
Grâce à son redoutable sens de l'orientation,
il peut explorer n'importe quel souterrain
sans jamais se perdre !

ANNIE

10 ans.
La plus jeune, un peu gaffeuse,
un peu froussarde !
Mais elle finit toujours
par participer aux enquêtes,
même quand il faut affronter
de dangereux malfaiteurs...

CLAUDE

11 ans.
Leur cousine. Avec son fidèle
chien Dagobert, elle est
de toutes les aventures.
En vrai garçon manqué,
elle est imbattable dans tous
les sports et elle ne pleure jamais...
ou presque !

DAGOBERT

Sans lui,
le Club des Cinq
ne serait rien !
C'est un compagnon
hors pair, qui peut monter
la garde et effrayer
les bandits.
Mais surtout, c'est le plus
attachant des chiens.

MICK

11 ans.
C'est un casse-cou (un gourmand aussi !)
qui n'hésite jamais avant de se lancer
dans les plus périlleuses aventures.

L'édition originale de cet ouvrage a paru en langue anglaise
chez Hodder & Stoughton, Londres, sous le titre :
Five get into a fix

© Enid Blyton Ltd.

© Hachette Livre, 1979, 1990, 2000, 2007, 2019
pour la présente édition.

Traduction revue par Rosalind Elland-Goldsmith.
Illustrations : Auren.

Hachette Livre, 58, rue Jean-Bleuzen, 92178 Vanves Cedex.

CHAPITRE 1

Vive la grippe !

— Pour un Noël gâché, c'est un Noël gâché ! soupire Mick d'un air navré.

— Et comment ! renchérit François. On n'a vraiment pas de chance ! Juste l'année où Claude vient passer ses vacances d'hiver avec nous, il a fallu qu'on prenne froid et que cette fichue grippe nous oblige à garder la chambre !

— Dire qu'on a dû rester au lit le jour de Noël ! déplore sa cousine.

— Dagobert est le seul d'entre nous à n'avoir pas été malade, fait remarquer Annie en caressant le brave chien.

— Ouah ! répond l'animal.

Tous les membres du Club des Cinq se sentent très déprimés. La grippe a retenu les enfants à la maison dès le début des vacances.

Dagobert, privé de ses sorties habituelles, s'est trouvé aussi puni qu'eux.

— Enfin, reprend François au bout d'un moment, nous voici tout de même sur pied.

— J'ai encore mal à la tête, nuance Mick.

— Et mes jambes sont toutes cotonneuses ! ajoute Claude.

De temps en temps, un accès de toux coupe la parole aux jeunes malades. Annie regarde par la fenêtre.

— Il neige, annonce-t-elle. Qu'est-ce qu'on s'amuserait bien dehors !... Ah ! voilà la voiture du docteur Duroc ! À tous les coups, il va trouver qu'on est assez en forme pour retourner en classe dans huit jours.

Quelques instants plus tard la porte s'ouvre et le médecin entre, escorté de la mère de François, Mick et Annie.

— Alors, docteur, demande cette dernière, quel diagnostic pour mes quatre petits diables aujourd'hui ?

Le pédiatre examine les enfants à tour de rôle puis il hoche la tête.

— Ils vont tous beaucoup mieux, madame Gauthier, déclare-t-il. Mais ils ne sont pas encore guéris. Votre nièce, en particulier, est loin d'être rétablie. Tu as toujours la gorge très rouge, Claudine.

La jeune fille grimace. Elle déteste qu'on emploie son vrai prénom. Elle insiste pour qu'on l'appelle Claude, qui correspond mieux à son tempérament de garçon manqué.

— D'ailleurs, reprend le docteur, vous devez tous vous débarrasser de cette toux persistante avant de rentrer en classe. J'estime que quinze jours de convalescence au grand air ne seront pas de trop...

Il s'interrompt pour regarder, à travers la vitre, la neige tomber à gros flocons.

— Je me demande, reprend-il d'un air pensif, si un petit dépaysement ne serait pas souhaitable...

Mick, pressentant une bonne nouvelle, ne le laisse pas achever sa phrase.

— Oh ! oui, docteur ! s'écrie-t-il. Envoyez-nous à la montagne ! On pourra faire du ski. Ce sera génial !

Il s'y voit déjà. Le pédiatre se met à rire.

— Oui, c'est bien cela qu'il vous faudrait : le bon air alpin saurait vous revigorer.

— Oh ! s'exclame Annie dont les yeux se mettent à briller. Ce serait super !

— Surtout après cette semaine de Noël gâchée ! renchérit Claude.

François se tourne vers sa mère.

7

— Tu es d'accord, maman ? demande-t-il d'un air anxieux.

Un faible sourire se dessine sur le visage de Mme Gauthier. Elle est exténuée d'avoir passé une semaine à soigner tout son petit monde. Le docteur ne lui laisse pas le temps de répondre.

— Vous aussi, chère madame, intervient-il, vous auriez besoin d'un peu de repos. Si vous pouviez envoyer vos petits malades chez une personne de confiance, cela vous permettrait de reprendre des forces dans le calme.

— Eh bien, répond la jeune femme, je ne dis pas non. Si les enfants ont besoin de quinze jours au grand air pour guérir de leur grippe, ils les auront. Quant à moi, je ne serai pas fâchée d'avoir un peu de répit.

— Ouah ! jappe Dago en regardant le médecin.

Claude se charge de traduire :

— Mon chien vous demande s'il ne lui faudrait pas du dépaysement, à lui aussi, explique-t-elle. Il voudrait savoir s'il peut nous accompagner.

— Voyons, Dago ! répond gravement le docteur Duroc. Tire la langue que j'y jette un coup d'œil ! Et donne-moi la patte, que je tâte ton pouls !

Comme s'il comprenait, le chien tend la

8

patte. Tout le monde se met à rire, ce qui déclenche un nouvel accès de toux de la part des enfants. Le pédiatre hoche la tête.

— Oui, il est nécessaire que vous partiez au plus tôt, estime-t-il. Je passerai vous voir à votre retour. D'ici là, amusez-vous bien !

Tout le monde remercie le docteur de ses conseils. Dès son départ, les questions fusent de toutes parts :

— On part quand, maman ?

— Et on va où ?

— Voilà bien ce qui me tracasse ! reconnaît Mme Gauthier. Où vous envoyer ? Et à qui vous confier ? Je n'en ai aucune idée... Je crois que la meilleure chose à faire est de téléphoner à une agence de voyages. On saura sûrement m'indiquer une bonne station de montagne. Il doit encore y avoir de la place dans les petits hôtels...

Hélas ! contrairement à ses prévisions, la mère de François, Mick et Annie ne reçoit que des réponses décevantes. Les enfants commencent à désespérer.

C'est finalement M. Blandin, le jardinier, qui apporte une solution au problème. Deux fois par semaine, ce brave homme vient s'occuper des parterres de fleurs des Gauthier.

Ce jour-là, il n'a rien d'autre à faire que de

déblayer l'allée de la neige qui la recouvre, jusqu'à la grille. En arrivant, il aperçoit les enfants, le nez collé aux vitres. Il s'approche de la fenêtre en souriant.

— Alors ? leur crie-t-il. Comment on se sent, aujourd'hui ? Je vous apporte des pommes. Vous trouverez bien un peu d'appétit pour les manger !

— Oh ! oui ! répond François en haussant la voix lui aussi pour se faire entendre. (Il n'ose pas ouvrir la fenêtre à cause du froid.) Merci beaucoup ! Entrez vite !

M. Blandin a vite fait de rejoindre les malades. Il porte un plein panier de pommes, jaunes et fermes, qui mettent l'eau à la bouche des jeunes gourmands.

— Vous semblez bien pâles, et amaigris aussi ! constate le jardinier en passant le panier de fruits à la ronde. C'est le bon air de mes Alpes natales qu'il vous faudrait, mes petits !

Les enfants se servent avec enthousiasme.

— L'air des Alpes ! L'air de la montagne ! s'exclame Mick en s'apprêtant à mordre à pleines dents dans une pomme énorme. C'est justement ce que le docteur nous a conseillé ! Vous ne connaîtriez pas un endroit où l'on pourrait séjourner, par hasard ?

La question n'a pas l'air de prendre M. Blann au dépourvu. Au contraire, son sourire élargit et il répond :

— Mais si ! Ma cousine, Mme Gouras, loue les chambres d'un petit chalet pendant l'été... C'est dans le Vercors, à flanc de montagne, pas très loin d'un lac. Tout de même, je me demande si Catherine prend des pensionnaires l'hiver... C'est qu'elle doit s'occuper de sa ferme. Mais vous pourriez toujours le lui demander... L'endroit où elle habite est tellement agréable ! Vous y seriez bien tranquilles et vous y respireriez du bon air !

— Juste ce qu'il nous faudrait ! estime Annie, enchantée. Prévenons vite maman !

Mme Gauthier se trouve dans la pièce voisine. En entendant les enfants l'appeler, elle accourt, inquiète, craignant que l'un d'eux n'ait rechuté. Elle n'a pas vu arriver M. Blandin ; elle est très étonnée de le découvrir là, entouré de François, Mick, Annie et Claude qui semblent bien agités. Tous se mettent à parler en même temps. Chacun essaie de crier plus haut que les autres pour se faire entendre.

Les explications des jeunes malades, ponctuées de quintes de toux, sont incompréhensibles. Le vacarme devient insupportable lorsque Dagobert, considérant qu'il a voix au chapitre, commence à aboyer de toutes ses forces.

Le jardinier est un peu gêné. Il se sent en partie responsable de ce désordre.

— Voulez-vous vous taire ! finit par s'écrier Mme Gauthier d'une voix ferme. Je ne saisis strictement rien de vos vociférations ! En plus, cela vous fait tousser ! Allez vite prendre une grande cuillerée de votre sirop. Pendant ce temps, je m'expliquerai avec M. Blandin. Non, non... pas un mot de plus, Mick ! Montez dans vos chambres tout de suite... Compris ?

Les enfants obéissent, laissant la jeune femme avec le jardinier.

— J'espère vraiment que maman retiendra l'idée de M. Blandin ! s'écrie Mick en avalant une dose de médicament. Si on doit rester enfermés ici jusqu'à ce que la toux cesse, on deviendra complètement fous...

— Moi, je parie qu'on ira en pension chez cette Mme Gouras ! le rassure son frère.

— Ce serait merveilleux... soupire Annie. Mais j'ai tellement peur que maman ne veuille pas !

Les craintes de la fillette sont vite dissipées. Sa mère juge excellente l'idée du jardinier. Elle a eu l'occasion de rencontrer Mme Gouras quelques mois auparavant, et la fermière lui a fait très bonne impression.

Aussi, lorsque François, Mick, Annie et Claude descendent de leur chambre, ils trouvent Mme Gauthier en train de téléphoner à Mme Gouras, pour lui demander si elle accepterait d'accueillir les jeunes convalescents.

CHAPITRE 2

La Ferme des Joncs

Mme Gouras accepte bien volontiers de recevoir les enfants chez elle. La fermière, dont la voix sympathique résonne dans le combiné, déclare que l'air de la région d'Autrans est le meilleur antidote contre la toux.

— Maman, souffle François à l'oreille de sa mère, dis-lui qu'on emmène un chien avec nous. Claude ne voudra jamais partir sans son cher Dago !

Mme Gauthier s'exécute, ajoutant :

— J'espère que la présence d'un animal ne vous ennuiera pas trop... Comment ? Vous possédez vous-même déjà sept chiens ? Ah ! je comprends... pour garder les moutons...

— Sept chiens ! répète Claude, enchantée. Tu vas pouvoir t'amuser, mon vieux Dagobert !

Le départ étant fixé au surlendemain, il faut s'occuper des préparatifs. M. Blandin aide les enfants à descendre les skis et les luges du grenier.

Le moment de se mettre en route arrive enfin. Il a été décidé que la petite troupe voyagerait avec un ami des Gauthier, M. Janon. Ce dernier est commerçant, et doit précisément se rendre dans les Alpes pour affaires. Il a proposé de conduire les Cinq jusqu'à Autrans.

— Je possède une grosse voiture. C'est un modèle familial, explique-t-il à Mme Gauthier. On y tiendra tous confortablement.

Les bagages sont logés dans le coffre et sur la galerie. Mick prend place à côté du conducteur. François, Claude et Annie s'installent à l'arrière, en compagnie de Dagobert. Après les derniers adieux, la voiture démarre. En route pour la montagne !

Partis en fin de matinée, les voyageurs font une halte vers midi pour se restaurer dans un petit café. M. Janon commande de la soupe de tomates bien onctueuse pour chacun des enfants.

— Je sens que l'appétit revient déjà ! constate Mick.

— C'est vrai ! Je me sens mieux, moi aussi !
déclare Claude.

On se remet en route avec entrain. Les jeunes
malades ont hâte d'arriver. Le voyage est trop
long à leur goût. Ils tentent de chanter en chœur
pour se distraire, mais cela les fait tousser et
ils doivent s'arrêter. Un peu plus tard, M. Janon
s'arrête sur une aire d'autoroute et invite toute
la bande à se dégourdir les jambes. Mais ils ne
s'attardent pas, et le voyage reprend.

— On approche ! annonce enfin le conducteur. Malheureusement la nuit tombe vite en
cette saison. Il fait déjà noir et, avec toute cette
neige qui tombe, je dois avancer avec prudence.
C'est à peine si j'arrive à voir la chaussée.

Après avoir traversé Grenoble, la voiture se
dirige droit vers la montagne. Elle suit maintenant une route assez raide, que l'on distingue
mal à cause du rideau mouvant des flocons. Au
bout d'un moment, M. Janon commence à donner des signes d'inquiétude.

— On devrait déjà être arrivés... Je crains
que...

— Vous ne pensez pas qu'on s'est perdus ?
demande François, inquiet à son tour.

— La route devient de plus en plus difficile,
observe Mick, et voilà longtemps qu'on n'a
plus vu la moindre habitation.

— J'ai bien peur de m'être égaré, en effet, avoue M. Janon d'un air ennuyé. J'ai dû me tromper d'embranchement au dernier carrefour... ou peut-être à celui d'avant !

Il ralentit tandis que les enfants échangent des regards consternés. S'ils sont vraiment perdus et incapables de retrouver le bon chemin dans l'obscurité, peut-être leur faudra-t-il passer la nuit dans la voiture... Cette perspective est loin d'être réjouissante !

— Regardez ! s'écrie soudain François. Voici un tournant, là, sur la droite. Et j'aperçois aussi un écriteau... une espèce de panneau de signalisation...

M. Janon arrête la voiture de sorte que ses phares illuminent l'enseigne. Mick tend le cou.

— Je lis mal... murmure-t-il en plissant les yeux. Attendez... Ah ! je vois mieux : *Le Vieux Château* ! Ce n'est pas un nom de ville ni de village. Un lieu-dit, peut-être ? Ou plus simplement encore le nom d'une propriété des environs !

— Il faudrait peut-être consulter une carte pour nous repérer, suggère François.

— Une carte ! Pas de chance ! Je n'en ai pas apporté avec moi, répond M. Janon. Je ne pensais vraiment pas me perdre dans une région que je connais si bien...

Il réfléchit un moment tandis que les enfants demeurent silencieux.

— Je crois, dit-il enfin, que le mieux est de tourner ici et de suivre le chemin menant au Vieux Château. Là, au moins, on pourra nous donner des indications sûres.

Il tourne donc à droite et la voiture, cahotant de plus en plus, se met à grimper un sentier tout juste praticable.

— C'est vraiment la montagne, par ici ! fait remarquer Annie en essayant de voir à travers la vitre. Quel raidillon !

Claude, à son tour, pousse une exclamation :

— Regardez ! On distingue une maison... là, au bout du sentier. Une maison avec des tours. Ce doit être le Vieux Château !

M. Janon arrête sa voiture juste devant une énorme porte de bois. Sur l'un des lourds battants, bien visible à la lumière des phares, est accrochée une pancarte. Les mots *DÉFENSE D'APPROCHER* y sont inscrits en lettres noires.

— Eh bien ! grommelle M. Janon. Ce n'est pas très accueillant ! Défense d'approcher ! Et pourquoi ça ?... Ah ! attendez un peu. Je vois une sorte de maisonnette, là, tout près. Je vais aller y frapper et demander où nous sommes...

Mais le petit pavillon n'est pas plus hospitalier que la grande maison. Il est plongé dans une obscurité complète. M. Janon a beau frapper plusieurs fois à la porte, il n'obtient aucune réponse.

— Qu'est-ce qu'on va devenir ? s'inquiète Annie. On ne peut pas dormir dans la voiture par ce froid...

— On n'a qu'à faire demi-tour et repartir par où on est arrivés, suggère Mick. On finira bien par retrouver notre chemin, ou par rencontrer quelqu'un qui nous aidera.

— Une minute ! lance François en sautant à terre. Je vais jeter un coup d'œil à ce portail.

Il s'approche des battants et observe la grosse serrure de près.

— Rien à faire ! conclut-il. Ils sont fermés à clef. Mais je crois que je peux passer par-dessus ! Je verrai bien s'il y a de la lumière à l'intérieur de la propriété !

Mais le jeune garçon n'a pas le temps de mettre son plan à exécution. Derrière la double porte, il vient d'entendre le grondement furieux d'un chien. Ce doit être un molosse pour faire tant de bruit.

M. Janon remonte dans la voiture et François revient vite sur ses pas. Dagobert, à son tour, se met à aboyer de toutes ses forces et tente de sauter par la portière pour répondre à la bête invisible.

— Il vaut mieux nous en aller d'ici, déclare M. Janon. Vous entendez ce vacarme ? Votre chien m'a tout l'air d'être devenu fou furieux. Tenez-le bien !

— Les gens qui habitent là ne semblent pas très accueillants, commente Claude tandis que la voiture commence à descendre la pente raide. Il faut qu'ils aient vraiment peur des voleurs pour faire garder leur maison par un chien aussi déchaîné !

La voiture progresse lentement, car la voie est très enneigée, mais on finit tout de même par atteindre le bas du chemin. Puis on roule quelque temps jusqu'à ce qu'Annie pousse une exclamation :

— Stop ! Arrêtez ! J'aperçois un panneau de signalisation !

Elle ne se trompe pas et, cette fois, les voyageurs constatent qu'il s'agit enfin de la bonne route.

— Chouette ! Plus que trois kilomètres et on sera arrivés ! indique Mick après avoir déchiffré l'inscription.

La voiture amorce un virage et grimpe un nouveau raidillon. Parvenus en haut de la côte, les enfants voient briller de petites lumières dans la nuit.

— C'est Autrans ! annonce M. Janon. La Ferme des Joncs, où habite Mme Gouras, doit se trouver de ce côté, d'après les explications que m'a données Blandin avant notre départ !

La neige a cessé de tomber et l'on arrive sans encombre au terme du voyage. Comme le véhicule s'arrête juste devant une bâtisse en pierres, un véritable concert d'aboiements accueille les visiteurs. Au bruit qu'ils font en tirant sur leurs chaînes, on devine que les chiens sont attachés quelque part dans une dépendance.

Au même instant la porte d'entrée s'ouvre et la silhouette sèche mais très droite d'une femme se dresse sur le seuil.

— Entrez, entrez vite ! invite-t-elle avec un sourire. Ne restez pas dehors dans le froid et la neige. Mon fils Martin s'occupera de vos bagages. Venez vous mettre au chaud !

Les quatre jeunes passagers sortent de la voiture. Tous se sentent très fatigués. Annie tient à peine sur ses jambes. Seul Dago semble en pleine forme.

Un homme, jeune et de haute taille, sort de la maison et, après un bref salut, décharge les bagages. Mme Gouras s'empresse déjà auprès de ses hôtes.

— Pauvres petits ! Vous devez être exténués. Et vous, monsieur Janon, conduire par une nuit pareille ! Mais je vous ai préparé un bon repas qui va vous remettre d'aplomb, allez !

Les enfants se présentent chacun leur tour :

— Et voici Dagobert ! ajoute Claude.

L'animal tend la patte à la fermière qui éclate de rire.

— Qu'il est bien élevé ! s'écrie-t-elle. Nous avons sept chiens ici, mais aucun n'est aussi courtois !

Annie, qui est un peu gourmande, a aperçu une table toute dressée dans la pièce voisine. Les bons plats qui s'étalent sur la nappe lui mettent l'eau à la bouche. Dagobert, lui aussi, a flairé d'intéressants fumets. Il pousse un aboiement discret.

— Il dit qu'il a faim, traduit Claude, et que votre dîner le tente beaucoup !

— Il n'est pas le seul ! déclare François en riant.

— Avant d'aller à table, intervient Mme Gouras, montez vos affaires au premier étage. Vos chambres se trouvent là-haut. Cette partie de la maison vous sera réservée. Vous pourrez jouer et faire du bruit sans gêner personne.

Suivant ses recommandations, les enfants

longent un petit couloir carrelé, puis grimpent une volée de marches. Sur le palier s'ouvrent deux chambres, l'une en face de l'autre. Elles sont meublées et décorées de façon identique. Deux grands feux de bois brûlent dans les cheminées.

— Je crois que je vais me coucher tôt, ce soir, murmure Annie en bâillant. Je tombe de fatigue. Ce sera agréable de s'endormir, bien au chaud, à la lueur des flammes dansantes...

— Eh ! Vous avez remarqué ? demande soudain Mick. On a moins toussé depuis notre arrivée à la ferme !

Bien entendu, à peine a-t-il fini de parler que tous sont pris de violentes quintes de toux. Mme Gouras les entend du rez-de-chaussée et les appelle.

— Dépêchez-vous, les enfants ! Venez vite dîner tant que c'est encore chaud !

François, Mick, Annie et Claude ne se le font pas répéter. Ils trouvent M. Janon déjà attablé dans la salle à manger.

— Je passerai la nuit à la ferme, leur explique-t-il, et je repartirai demain matin.

Mme Gouras dépose un plat à gratin fumant sur la nappe rouge et blanche. Elle sert tout le monde.

— C'est une spécialité de la région, réalisée avec les produits de la ferme. Régalez-vous pendant que je termine de ranger la cuisine.

Quand elle est sortie, François, Mick et Annie se regardent en souriant. Claude, cependant, semble très fatiguée.

— Je n'ai pas faim du tout, avoue-t-elle soudain. Et je suis exténuée.

La fermière, qui revient dans la salle à manger, lui conseille de se forcer un peu.

— Mange au moins ton dessert, suggère-t-elle, en déposant un yaourt sur la table. Après, vous monterez tous vous coucher. Vous aurez tout le temps de défaire vos bagages demain.

Les enfants se dépêchent de finir leur repas. Puis ils souhaitent une bonne nuit à M. Janon et à leur hôtesse.

— Et maintenant, tous au lit ! décrète Mick en se dirigeant vers l'escalier.

Les quatre convalescents s'endorment dès qu'ils sont sous les draps. Seul Dagobert veille un moment auprès du feu. Ensuite, silencieux comme une ombre, il grimpe sur le matelas de Claude et s'allonge à ses pieds.

CHAPITRE 3

Des nouvelles du Vieux Château

Cette nuit-là, les enfants dorment si bien qu'ils ne se réveillent pas une seule fois. Et s'il leur arrive de tousser dans leur sommeil, ils ne s'en aperçoivent même pas. C'est à peine s'ils se retournent une fois ou deux dans leur lit.

François est le premier à ouvrir les yeux le lendemain matin. Les bruits de la ferme lui parviennent à travers la fenêtre close : les vaches meuglent, les chiens aboient les uns après les autres, les poules caquettent. Comme c'est agréable de rester couché, bien au chaud, tandis que tout s'agite au-dehors !

L'aîné des Cinq consulte sa montre et, à sa grande surprise, découvre qu'il est déjà presque neuf heures. Il saute du lit et réveille son frère.

— Debout ! Il est tard ! Dépêchons-nous de nous doucher !

Les garçons expédient vite leur toilette. Il fait bon dans la maison et le soleil brille sur les cimes alpines. Cependant la neige a dû tomber en masse pendant la nuit : dehors, tout est blanc.

— Chouette ! commente Mick en regardant par la fenêtre. On pourra faire de la luge. Allons réveiller les filles !

Mais Claude et Annie sont déjà debout, car Dagobert a commencé à s'agiter dès qu'il a entendu les garçons se lever.

Claude, ce matin-là, va mieux. Son mal de gorge s'est apaisé.

— Et toi, Annie, comment tu te sens ? demande-t-elle à sa cousine.

— Très en forme ! répond la fillette.

— Tu sais qu'il est neuf heures ? On a dormi plus de douze heures... presque un record !

— Ouah ! fait Dagobert en regardant avec impatience la porte derrière laquelle les garçons attendent.

— Oui, oui, mon chien ! s'exclame sa jeune maîtresse en riant. Tu réclames ton déjeuner, pas vrai ? Eh bien, j'ai aussi faim que toi. Je ne sais pas si c'est l'air de la montagne, mais je me sens un appétit d'ogre... Allons retrouver les autres.

Les quatre enfants dévalent l'escalier et se précipitent dans la salle à manger où un bon feu de bois crépite dans la cheminée.

Mme Gouras entre presque aussitôt et sourit à ses jeunes pensionnaires, qui la saluent en chœur.

— Bonjour, bonjour, mes enfants, répond-elle. Je crois que vous allez vous amuser aujourd'hui. La neige est tombée toute la nuit. Mais, avant de sortir, il vous faut un bon petit déjeuner. De quoi avez-vous envie ?

— De grosses tartines de beurre, déclare François.

Ses compagnons hochent la tête.

— Très bien. Vous pourrez aussi goûter le miel de nos ruches. Mais j'ai mieux à vous proposer. Que diriez-vous de chaussons aux pommes fondants ? Je viens de les retirer du four. Quant à mon chocolat chaud, vous m'en direz des nouvelles ! Vous pourrez y ajouter de la crème fraîche. Nos vaches sont les meilleures laitières de la région. Je vais vous servir tout de suite...

Et la fermière disparaît dans la cuisine.

— Je sens qu'on va se régaler ! s'écrie Annie en prenant place à la table.

— Ouah ! jappe soudain Dagobert en se précipitant vers la fenêtre pour essayer d'apercevoir les chiens qu'il entend aboyer.

Mick jette à son tour un coup d'œil à travers la vitre.

— Eh ! Ce sont de gros chiens de berger, constate-t-il. Avec eux, les moutons doivent être bien gardés. Au fait... je me demande à quelle race peut bien appartenir le molosse qui a aboyé contre nous hier soir... vous savez, celui qui s'agitait derrière le portail du Vieux Château ?

— Je ne suis pas près de l'oublier, murmure Annie avec un frisson. J'avais l'impression de vivre un cauchemar... ce chemin perdu, l'obscurité, l'écriteau avec *Défense d'approcher*, personne à qui demander notre route... et pour finir, ce monstre invisible qui n'arrêtait pas de hurler !

— Heureusement que tout s'est bien terminé, conclut François.

Au même instant, Mme Gouras revient, portant un plateau chargé d'appétissantes viennoiseries

— Il y a de quoi nourrir au moins dix personnes ! observe François en riant. Il restera tout ce qu'il faut à M. Janon quand il se lèvera.

— M. Janon a déjà déjeuné, explique la fermière en posant une jatte de lait chaud sur la table. Il est en train de vérifier les pneus de sa voiture avant de partir. Ah !... et voici mon fils Martin.

Les enfants se tournent vers la porte et dévisagent le jeune homme qu'ils ont à peine entrevu la veille. Ils se sentent un peu intimidés. De stature gigantesque, Martin possède d'épais cheveux bruns en désordre, des yeux bleus très brillants et une bouche aux lignes fermes.

— Bonjour, monsieur, lancent François et Mick.

Martin les observe rapidement et répond par un simple signe de tête. Claude et Annie lui adressent des sourires polis et le colosse les salue à leur tour, mais toujours sans prononcer un seul mot. Puis il tourne les talons et quitte la salle à manger.

— On ne peut pas dire que mon fils soit très bavard, commente paisiblement Mme Gouras tout en versant du lait dans les bols. Mais quelle voix quand il est en colère ! On l'entend à un kilomètre à la ronde ! Je peux vous garantir que les moutons et les chiens lui obéissent quand il se met à crier !

Les enfants croient volontiers la brave femme. Martin leur paraît assez redoutable !

— Ce sont ses bergers allemands que vous

entendez aboyer comme ça, poursuit la fermière. Trois d'entre eux, du moins. Ils suivent Martin partout. Lui, il les adore. Il en possède quatre autres qui gardent nos moutons sur les hauteurs de la montagne en ce moment. Et je vous assure que, si Martin allait dans la cour et les appelait de sa grosse voix, ces quatre chiens l'entendraient et quitteraient le troupeau pour accourir ici comme des flèches !

Cet exploit du gigantesque Martin surprend à peine le Club des Cinq : rien ne leur semble impossible de la part de cet étrange personnage. Ils aimeraient entendre cette voix puissante dont on leur vante la portée.

François, Mick, Claude et Annie mangent de bon appétit. Ils trouvent le pain et le beurre cent fois meilleurs que ceux qu'on leur sert chez eux.

Les quatre cousins finissent à peine leur déjeuner quand M. Janon entre dans la pièce.

— Alors, les enfants ! s'écrie-t-il avec entrain. Bien dormi ? Oui... ? Je constate que vous avez fait honneur à la cuisine de Mme Gouras. Eh bien, moi, je m'apprête à repartir pour Grenoble où mes affaires me retiendront toute la journée. Au fait, avant de vous quitter, j'ai quelque chose à vous raconter !

Il regarde ses jeunes amis d'un air malicieux.

— Quoi donc ? demande Claude, pleine de curiosité.

— C'est au sujet du Vieux Château ! Pas étonnant qu'on ait été si mal reçus hier soir. Vous savez qui habite là ? Une vieille dame, un peu étrange, paraît-il. Dans la région, on raconte qu'elle est à moitié folle. À ce qu'on dit, elle n'autorise personne à entrer dans sa propriété.

— Voilà qui explique la présence de l'écriteau sur son portail ! commente Mick.

— Et c'est sans doute parce qu'elle vit seule qu'elle fait garder sa maison par un chien féroce, analyse à son tour Annie.

— Elle n'aurait jamais accepté de nous ouvrir hier soir, poursuit M. Janon. Si je n'avais pas retrouvé mon chemin, on aurait été obligés de passer la nuit dans la voiture. C'est une chance que tout se soit bien terminé... Bon, il est déjà dix heures, je dois partir. Amusez-vous bien pendant votre séjour !

Les enfants, massés à la fenêtre, le voient monter en voiture puis disparaître après un dernier signe de la main.

— Qu'est-ce qu'on fait, maintenant ? demande François.

— Je propose une bonne promenade ! s'exclame Claude, pleine d'enthousiasme.

Peu après, vêtus de pulls de laine et d'épais anoraks, les enfants sont prêts à sortir. Mme Gouras, au passage, les félicite.

— Bravo, vous vous êtes bien couverts. Le vent souffle aujourd'hui, mais l'air pur vous fera du bien...

Elle se tourne vers Claude en souriant.

— Quant à toi, mon jeune ami, fais attention à ton Dago. Ne le lâche pas avant d'avoir traversé la cour de la ferme. Il ne faudrait pas qu'il se batte avec un des chiens de mon fils !

La jeune fille sourit à son tour. Elle est ravie que la fermière l'ait prise pour un garçon. Avec ses cheveux coupés aussi court que ceux de ses cousins, son pantalon de ski et son surnom, la méprise est facile.

Les Cinq sortent de la cour de la ferme sans rencontrer le moindre chien. Mais Claude ne se décide pas encore à lâcher Dagobert.

— Laisse-le aller ! conseille Mick. Les bergers allemands ont dû sortir avec Martin.

— Ouah ! supplie Dago.

Claude rit et défait la laisse. L'animal, enchanté, sautille gaiement, flairant çà et là de subtiles odeurs. Toute la bande le suit, le long d'un sentier couvert de neige qui fait le tour de la ferme. Ils ne se sentent pas encore très

solides sur leurs jambes et ne veulent pas trop s'éloigner pour cette première sortie.

Le chien disparaît au coin d'un muret. Soudain, d'effroyables aboiements retentissent. On dirait qu'une meute entière se déchaîne.

Avant que les enfants aient le temps de comprendre ce qui se passe, ils voient Dagobert accourir vers eux, suivi par trois molosses qui montrent leurs crocs et semblent vouloir le mettre en pièces. Sur le point d'être rattrapé, Dago se retourne et fait front à ses assaillants. Mais il a beau être courageux, l'issue du combat ne fait aucun doute.

À l'idée de voir attaqué son fidèle compagnon, Claude n'écoute que son courage. Elle fait un pas en avant, prête à défendre son chien à n'importe quel prix. François devine son intention et hurle :

— Non, Claude ! N'y va pas ! Ces bêtes ont l'air dangereuses ! Arrête !

Mais la jeune fille n'entend même pas son cousin. Elle se précipite vers Dago, se place résolument devant lui et crie aux trois bergers surpris :

— En arrière ! Et plus vite que ça !

CHAPITRE 4

Les suites de l'« affaire Dago »

Les trois gros chiens de berger ne prêtent pas longtemps attention à Claude. C'est à Dagobert qu'ils en veulent. Comment cet intrus ose-t-il venir fouiner autour de leur ferme ? Ils font un pas en avant, mais la jeune fille continue à s'interposer. Elle brandit la laisse de cuir qu'elle tient à la main, la fait siffler en l'air, et n'hésite pas à la rabattre, en un bruit cinglant, sur les molosses qui grondent.

François s'élance pour aider sa cousine. Mais, juste à cet instant, Dagobert pousse un cri aigu : il vient d'être mordu !

Mme Gouras arrive alors en courant ; elle semble avoir retrouvé ses jambes de vingt ans.

— Roc ! Dick ! Black ! Ici ! appelle-t-elle.

Mais les trois chiens ne lui obéissent pas. Ils

se mettent à gronder plus fort que jamais, et... soudain une voix retentit, jaillie des profondeurs de la montagne. Et quelle voix ! Elle vibre de toutes parts, comme diffusée par un haut-parleur.

— Dick, Black, Roc !

Cette fois-ci, les bêtes s'arrêtent d'un coup. Elles lèvent la tête, reniflent et, tournant le dos aux enfants épouvantés, s'enfuient à toute vitesse, la queue basse.

— Nous avons de la chance... murmure la fermière en serrant son châle autour de ses épaules. C'était Martin. Il a dû entendre les aboiements.

Puis, apercevant Claude, elle s'exclame :

— Oh ! mon pauvre petit, tu es blessé ?

Elle prend la jeune fille par le bras et la regarde d'un air anxieux.

— Non, madame, je ne crois pas. Mais ces chiens ont mordu mon pauvre Dagobert.

— Ouah ! opine Dago, qui semble moins effrayé que sa maîtresse.

Claude s'agenouille devant lui dans la neige et lui palpe le cou.

— Regardez, se désole-t-elle. C'est là... Il saigne. Oh ! Dag ! Comme je regrette de t'avoir lâché !

— La plaie n'est pas profonde, Claude, je

t'assure, déclare François après avoir examiné à son tour le cou de l'animal. Son collier l'a protégé. Ce n'est qu'une égratignure.

Annie, de son côté, s'appuie contre le muret ; elle paraît sur le point de s'évanouir. Mick n'en mène pas large non plus : il sent ses jambes trembler. Tous deux ne peuvent s'empêcher de penser à ce qui aurait pu arriver si les trois bêtes féroces avaient mordu la jeune maîtresse au lieu de son chien.

— Ces animaux auraient pu vous mettre en pièces, constate Mme Gouras tout émue. Quelle peur j'ai eue !

Mais Claude ne se soucie que de Dagobert.

— S'il vous plaît, madame, demande-t-elle, auriez-vous du mercurochrome pour que je puisse désinfecter la blessure ?

Avant que la fermière ait le temps de répondre, l'athlétique silhouette de Martin s'approche. Dick, Black et Roc le suivent de près.

— Alors ? questionne-t-il, en regardant à tour de rôle les enfants et la fermière.

— Tu as appelé tes chiens juste à temps, Martin, ils allaient attaquer ce jeune homme, explique Mme Gouras en posant la main sur l'épaule de Claude.

François esquisse un sourire en constatant que Mme Gouras continue à prendre sa cousine pour un garçon. Il sait que rien ne peut faire plus plaisir à la jeune fille.

— Il faudrait désinfecter la plaie, répète cette dernière.

Martin s'accroupit et examine le cou de la bête blessée.

— Peuh ! lâche-t-il en se relevant. Ce n'est rien du tout !

Et il s'éloigne en sifflotant. Claude le suit des yeux. La colère monte en elle. Comment ! Ce sont ses chiens qui ont attaqué Dagobert et il ne s'est même pas excusé ! Elle sent des larmes de rage lui piquer les yeux et a bien du mal à les retenir.

— Je refuse de rester ici, déclare-t-elle tout haut. Ces bergers allemands recommenceront à attaquer Dago, c'est sûr ! Et ils risquent de le tuer. Je veux rentrer à la maison !

— Voyons, voyons, l'interrompt Mme Gouras d'une voix apaisante. Tu dis cela parce que tu es sous le choc.

— Non, je ne suis pas sous le choc ! rétorque la jeune fille. Mais je prévois le pire et je ne veux pas que mon chien soit maltraité par les autres.

Elle pivote sur ses talons et, suivie de Dagobert, se dirige vers la ferme. Pour rien au monde elle ne voudrait pleurer en public et les larmes lui brûlent de plus en plus les yeux.

François, Mick et Annie échangent des regards attristés.

— Tu devrais aller lui parler, Annie... conseille François.

La fillette obéit et court après sa cousine. François se tourne vers la fermière qui frissonne sous son châle.

— Rentrons aussi, lui dit-il. Sinon, vous allez prendre froid. Et ne vous inquiétez pas pour Claude. Elle finira bien par se calmer.

— Elle ? s'exclame Mme Gouras, toute surprise. Claude n'est donc pas un garçon ? Comme elle est courageuse ! Vous croyez vraiment qu'elle renoncera à rentrer chez elle ?

— Mais oui, répond François en espérant tout bas ne pas se tromper. Quoique, avec Claude, on ne peut jamais être sûr. Mais j'espère qu'elle changera d'idée. Si vous pouviez lui donner du mercurochrome pour son chien, ça la réconforterait certainement.

— Tu as raison, rentrons vite, acquiesce la fermière.

Ils trouvent Claude dans la salle à manger. Elle a ôté le collier de Dago et s'affaire à laver la blessure avec un coin de son mouchoir trempé dans l'eau.

— Attends, petit, je vais chercher un désinfectant, déclare Mme Gouras, oubliant soudain que Claude est une fille. Je reviens tout de suite.

Elle reparaît bientôt, une petite bouteille brune à la main. Claude la remercie et achève de nettoyer la plaie de son fidèle compagnon. Celui-ci est ravi que l'on s'occupe si bien de lui. Mais sa maîtresse demeure sombre et pensive.

— Roc, Dick et Black auraient pu le tuer, répète-t-elle. Je ne veux pas le laisser ici. Je vais rentrer chez moi, à Kernach.

— Ne raconte pas n'importe quoi, Claude ! bougonne Mick, exaspéré. Dag n'a qu'une écorchure. Pourquoi gâcher toutes nos vacances pour une simple bataille de chiens ?

— Roc, Dick et Black sont enragés, s'entête Claude. Je ne veux pas passer mon séjour ici à trembler pour Dago. Et puis, en partant, je ne gâcherai pas vos vacances mais les miennes !

— Écoute, coupe François. Sois raisonnable. Accepte seulement de rester un jour encore. Juste un jour. Ce n'est pas trop te demander ? Mme Gouras serait peinée si tu partais comme ça.

— Bon, bon ! admet Claude, sans quitter son air renfrogné. Je veux bien attendre jusqu'à demain. Ça donnera à Dagobert le temps de se remettre de sa frayeur.

— Je ne pense pas que ton chien ait eu vraiment peur, avance Annie. Et si tu n'étais pas intervenue, il aurait trouvé moyen de tenir tête aux molosses de Martin à lui tout seul. Pas vrai, Dag ?

— Ouah ! Ouah ! répond l'animal d'un air convaincu.

On dirait qu'il comprend. Il agite frénétiquement la queue. Mick se met à rire.

— Mon bon vieux Dago ! s'exclame-t-il. Tu n'as pas du tout envie de rentrer, toi, hein ?

— Ouah !

Mais la jeune maîtresse fronce les sourcils d'un air menaçant et ses cousins sentent qu'il ne faut pas la taquiner davantage. François, Mick et Annie espèrent que Claude sera de meilleure humeur le lendemain et renoncera à rentrer à Kernach.

— Si on sortait faire un tour ? propose Mick. Ce serait dommage de rester enfermés par un temps pareil, alors qu'il y a de la neige et du soleil dehors ! Tu viens, Annie ?

— Oui, répond la fillette. Si Claude nous accompagne.

Mais cette dernière secoue la tête.

— Non, marmonne-t-elle. Ce matin, je resterai ici avec Dag !

— Dans ce cas, décide sa cousine, je reste avec toi.

Aussi les garçons partent-ils seuls. L'air vif de la montagne leur semble délicieux à respirer. Ils se sentent bien mieux que la veille et toussent de moins en moins. Malgré tout, cette histoire de chiens les ennuie beaucoup... Même la fermière est contrariée. En entendant François et Mick sortir, elle apparaît sur le seuil de la laiterie, l'air soucieux.

— Ne vous inquiétez pas, la rassure l'aîné avec un sourire. Je crois que Claude finira par changer d'avis. Elle a déjà accepté de rester une nuit de plus... Mon frère et moi, nous avons décidé de faire un petit tour dans les environs. Quel chemin nous conseillez-vous de prendre ?

— Suivez ce sentier, répond Mme Gouras en désignant du doigt une piste sinueuse. Il vous conduira tout droit à notre chalet d'été. Il est fermé pour l'instant, car nous ne recevons des pensionnaires qu'entre les mois de mai et octobre. Mais je vais vous donner la clef. Comme la promenade est longue, vous vous y reposerez aussi longtemps que vous voudrez. Et même, si vous en avez envie, vous pourrez y déjeuner. Nous gardons là-bas une bonne réserve de provisions.

— Super ! déclare Mick, enchanté. On rentrera avant la tombée de la nuit. Pourrez-vous prévenir les filles ?

Quelques instants plus tard, François et Mick se remettent en route, munis de la clef du chalet. Ils sont tout heureux et sifflotent avec entrain. Quelle belle promenade en perspective !

Au bout d'un moment, le sentier commence à grimper, mais l'air revigorant empêche les deux garçons de trop sentir la fatigue. Ils poussent cependant un soupir de soulagement quand ils atteignent enfin la maison. Après deux heures de marche, ils ne sont pas fâchés de se reposer un peu et d'avaler un morceau.

— Cet endroit me plaît beaucoup, décrète François en introduisant la clef dans la serrure.

Il pousse la porte et entre. Le chalet est accueillant et confortable. Il comporte quatre chambres, dont chacune possède des lits superposés. On trouve une large cheminée dans chaque pièce, et la cuisine est abondamment pourvue de boîtes de conserve. La vaisselle ne manque pas non plus. Lorsque François et Mick ont fini d'explorer la charmante demeure, une même pensée leur traverse l'esprit. Ils se regardent...

— Dis donc, murmure l'aîné, on pourrait peut-être séjourner ici tous les quatre ? L'idée plaira certainement à Claude. Ici, au moins, Dagobert n'aurait pas à craindre des chiens de la ferme...

— Espérons que Mme Gouras nous donnera la permission ! répond son frère d'un ton plein d'espoir.

CHAPITRE 5

Une curieuse apparition

Les fenêtres du chalet s'ouvrent sur la vallée et, dès que les volets sont poussés, les rayons du soleil illuminent la pièce principale. Les garçons ont fait leur première inspection dans la pénombre mais, à la clarté du grand jour, ils font de nouvelles découvertes.

François tourne la poignée d'un placard et s'exclame :

— Ah ! Voilà des draps propres ! Et des serviettes de toilette.

— Et tu as vu dans la cuisine ? crie Mick qui fourrage de son côté. J'ai mis la main sur une provision de bouteilles de limonade et de soda à l'orange. Les touristes qui viennent séjourner ici pendant l'été ne risquent pas de mourir de soif !

— Si on allumait un feu dans la cheminée pour avoir un peu moins froid ? propose l'aîné qui vient d'éternuer.

— Oh ! je ne pense pas que ce soit nécessaire ! Le soleil aura vite fait de réchauffer la maison. En attendant, on peut se couvrir avec des couvertures.

Un instant plus tard, les deux garçons sont attablés dans la cuisine, et font honneur aux provisions de la prévoyante Mme Gouras. Puis ils s'installent sur les marches de bois de la porte d'entrée, tout en achevant de grignoter leur dessert. Mick, qui observe le flanc d'une colline voisine, s'exclame soudain :

— François ! Tu vois cette bâtisse là-haut... juste devant nous ?

Son frère écarquille les yeux, mais n'aperçoit rien.

— Non, tu dois te tromper, répond-il. Ou alors, elle est tellement couverte de neige, que je n'arrive pas à la distinguer au milieu de tout ce blanc. Je me demande bien qui pourrait habiter si loin de tout !

— Certaines personnes n'aiment pas vivre en ville, tu sais. Il paraît que les artistes s'installent parfois en pleine montagne : le calme et la beauté des paysages les aident à trouver l'inspiration...

— Ils doivent quand même se sentir un peu seuls, tu ne crois pas ? questionne François.

Il se met à bâiller. Les deux garçons ont terminé leur repas. Ils commencent à s'assoupir au soleil.

Soudain, l'aîné empoigne son frère par le bras et désigne du doigt le sentier qui grimpe le long de la montagne, au-delà du chalet. Mick tourne la tête et se fige. Quelqu'un dévale la pente dans leur direction, un chevreau et un chien minuscule sur les talons.

— C'est un garçon ou une fille ? chuchote François.

Comme l'inconnu se rapproche d'eux, les garçons constatent qu'il s'agit d'une fillette de sept ou huit ans. Ses cheveux un peu désordonnés sont d'un brun profond, et son visage est hâlé par le grand air. Elle porte une jupe épaisse et un gilet de laine bleue. Tout en marchant, elle chante d'une voix claire et aiguë semblable à un gazouillis d'oiseau.

Tout à coup, son petit chien se met à japper. La petite fille s'arrête de fredonner pour lui parler. L'animal aboie plus fort, le museau tourné vers le chalet d'été. Le chevreau exécute cabriole sur cabriole. C'est alors que la jeune montagnarde aperçoit les deux frères. Aussitôt, elle fait demi-tour et reprend, en courant, le chemin par lequel elle est arrivée.

François se lève et lui crie de revenir.

— N'aie pas peur ! On ne te fera pas de mal ! Reviens !

La petite fille s'arrête et regarde les garçons, prête à reprendre sa course à la moindre alerte. L'aîné agite un morceau de jambon qui reste de leur repas. Le vent en porte l'odeur jusqu'au chien qui ne se fait pas prier pour approcher. Il attrape le bout de viande au vol et le dévore avec avidité. Mick surprend le regard de convoitise de l'enfant et lui tend un biscuit. Mais la petite n'avance pas d'un centimètre. Le garçon lui lance alors le gâteau qu'elle reçoit adroitement et grignote sur place, d'un air satisfait.

— Drôle de fillette... murmure François. Je me demande d'où elle peut bien venir.

Son frère fait une nouvelle tentative pour lier connaissance avec l'enfant.

— Salut ! dit-t-il avec un sourire. Tu veux venir nous parler ?

La jeune montagnarde paraît effrayée et recule de quelques pas. Mais elle ne va pas très loin. Les garçons l'aperçoivent, dissimulée à demi derrière un arbuste. La fillette les examine avec curiosité.

— Offrons-lui d'autres biscuits, suggère François. Elle finira peut-être par venir les prendre.

Mick puise toute une poignée de gâteaux secs dans la boîte en carton qui se trouve à côté de lui et appelle :

— Tiens ! C'est pour toi et pour ton chien !

Seul le chevreau répond à l'invitation. Tout en gambadant, il s'approche des deux frères. On dirait un jouet avec ses petites oreilles et ses pattes filiformes ; ses bonds saccadés lui donnent l'air d'un automate bien remonté. Il bondit sur les genoux de Mick et lui fourre son museau dans le cou. La fillette l'appelle alors d'une voix claire et haut perchée : « Mignon ! » Le biquet tente de se dégager, mais le garçon le retient d'une main ferme.

— Viens le chercher ! crie-t-il. On ne te fera pas de mal !

L'inconnue oublie sa peur et continue à héler :

— Mignon ! Mignon !

Elle risque quelques pas hésitants en direction des garçons. Le petit chien est plus hardi. Il s'avance et vient renifler les mains de l'aîné comme pour lui demander une ration supplémentaire de jambon. Mick lui offre un biscuit qu'il engloutit sur-le-champ. L'animal regarde sa maîtresse de côté, comme pour s'excuser de se régaler sans elle. François lui caresse la tête et le chien, tout joyeux, le remercie d'un coup de langue.

Un peu rassurée, la fillette se rapproche. Les garçons lui tendent chacun un biscuit.

— Tous ces gâteaux sont pour toi et pour tes compagnons.

La jeune inconnue finit par s'enhardir un peu et se rapproche doucement. François et son frère, immobiles et patients, surveillent ses pas lents. Dès qu'elle est assez près, elle rafle une des galettes et bat en retraite. Puis elle va s'asseoir sur une grosse pierre et croque dans le gâteau.

— Comment tu t'appelles ? demande Mick.

La petite paraît ne pas comprendre.

— Comment tu t'appelles ? Quel est ton nom ?

L'enfant se désigne elle-même du doigt :

— Moi... je suis Miette ! répond-elle.

Puis elle tend l'index vers son chien :

— Lui, c'est Toto !

Et, se tournant vers le chevreau :

— Lui, Mignon !

À son tour, l'aîné montre son frère, puis lui-même :

— Mick... François !

La fillette sourit et se met à babiller avec rapidité. Les garçons ne saisissent pas un seul mot de son discours.

— Elle parle trop vite ! constate Mick. Je ne comprends rien. Elle a l'air de nous dire des choses gentilles, pourtant...

Miette s'aperçoit que ses interlocuteurs l'observent avec perplexité. Elle paraît réfléchir et reprend en articulant bien :

— Mon papa... il est dans la montagne... avec les moutons !

— Ah ! Ton père est berger ! traduit François. Et toute ta famille habite là-haut ?

La fillette secoue la tête.

— En bas ! explique-t-elle en désignant la vallée. La bergerie, c'est seulement pour surveiller les moutons ! Mais maman et moi, on va souvent lui tenir compagnie.

Puis, se tournant vers le chien et le chevreau qui tournent autour d'elle, elle les saisit affectueusement par le cou.

— Toto est à moi ! déclare-t-elle avec fierté. Et Mignon aussi est à moi !

— Joli chien ! Gentil chevreau ! commente François avec un air pénétré.

L'enfant paraît ravie du compliment et approuve de la tête. Puis, soudain, sans prévenir, elle se lève d'un bond et dévale le sentier à toutes jambes, les deux animaux sur les talons.

— Décidément, cette gamine est un peu bizarre ! s'exclame Mick. Je me demande si Mme Gouras la connaît...

— Justement, il est temps de rentrer aux Joncs, déclare son frère en se levant.

Les garçons rangent la cuisine. Après quoi, ils se mettent en route. La descente ne présente pas de difficulté. Ils arrivent après un long chemin en vue de la ferme.

— J'espère que Claude a retrouvé sa bonne humeur... et qu'elle est toujours à la ferme, soupire François. On ne sait jamais, avec elle ! J'ai hâte de parler aux filles du chalet. Si elles sont d'accord pour qu'on aille habiter là-bas, on en parlera dès ce soir à Mme Gouras.

Les deux frères dévalent au pas de course les quelques mètres qui les séparent encore de la maison.

— Claude ! Annie ! crie Mick à pleins poumons en ouvrant la porte. On est de retour ! Venez vite !

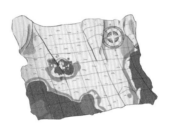

CHAPITRE 6

Installation au chalet

Annie court à la rencontre de Mick et de François.

— Je suis bien contente que vous soyez rentrés ! s'écrie-t-elle. Il commence à faire noir et j'avais peur que vous ne vous perdiez en rentrant !

— Alors, Claude, demande François en apercevant la jeune fille derrière sa sœur, comment va Dago ?

— Très bien, merci. Tenez, le voilà !

Dagobert se met à aboyer et à bondir pour manifester sa joie. Les Cinq passent dans la grande salle à manger où crépite un feu de bois. Les garçons se laissent tomber dans de confortables fauteuils et étendent leurs jambes.

— Ouf ! souffle Mick. Ça fait du bien de se reposer un peu après une si longue marche...

Les deux frères racontent alors leur journée aux filles, ils leur décrivent le chalet et, enfin, leur font part de leur idée d'aller s'y installer.

— Oh ! oui ! s'exclame Annie, pleine d'enthousiasme. Tous les cinq, là-haut, ce serait génial !

Les garçons jettent un regard inquiet du côté de Claude. Que va-t-elle dire ? Persistera-t-elle à vouloir rentrer chez elle après l'« affaire Dago » ? Mais le visage de leur cousine s'éclaire d'un sourire. L'idée d'aller vivre au chalet la séduit beaucoup. Là-bas, au moins, son cher compagnon n'aura rien à craindre des chiens de la ferme.

— Je suis d'accord, déclare-t-elle. Mme Gouras nous a dit que Martin prévoyait de nouvelles chutes de neige. On pourra faire du ski et de la luge.

— Espérons que la fermière nous autorisera à nous installer là-haut tout seuls... murmure Mick d'un air un peu soucieux.

— Et pourquoi pas ? rétorque son frère. Mme Gouras sait qu'on est raisonnables. Qu'est-ce qui pourrait bien nous arriver ?

— Je croise les doigts pour qu'elle nous donne la permission, soupire Claude. Dagobert est resté enfermé toute la journée. Il ne comprend pas que je refuse de le laisser sortir. Si ça continue, il va devenir fou !

Après être montés pour se laver les mains, Mick et François rejoignent les filles autour de la table du dîner. Mme Gouras remplit les assiettes tout en demandant aux deux frères s'ils ont apprécié leur promenade. C'est le moment de lui parler du grand projet des Cinq...

L'aîné du groupe se lance. La fermière l'interrompt aussitôt.

— Aller habiter au chalet en cette saison ! s'exclame-t-elle. Mais il n'y a personne là-haut pour vous surveiller, personne pour vous faire la cuisine...

— Oh ! Si ce n'est que ça, ne vous en faites pas, la rassure Mick. On a l'habitude de se débrouiller seuls. On a souvent campé en montagne, et... c'est le seul moyen qui empêchera Claude de rentrer chez elle, achève-t-il gravement.

— C'est vrai que votre mère m'a dit que vous étiez raisonnables... murmure la fermière. Et il y a là-haut assez de provisions pour que vous ne mouriez pas de faim. Par ailleurs, le coin est très sûr... De toute façon, le berger n'est jamais très loin. Vous pourriez aller le voir si vous aviez un problème... Bon, je vous accorde ma permission, si vous me promettez d'être très prudents, et de ne jamais vous éloigner du chalet.

— Vous pouvez nous faire confiance ! s'écrie Annie.

— Je suis certaine que ma toux ne résistera pas au grand air ! renchérit Claude, qui vient d'être secouée par une mauvaise quinte.

— Et, si quelque chose ne va pas, on reviendra tout de suite à la ferme, promet François. Le parcours est rapide dans ce sens.

— Tout de même, quelle idée bizarre de vouloir s'installer au chalet en cette saison ! marmonne Mme Gouras. Enfin, je ne vois pas d'objection à ce que vous y séjourniez quelques jours. Mais je veux tout de même en discuter avec Martin avant de vous laisser partir.

Tandis qu'elle débarrasse la table, François lui raconte la rencontre avec Miette.

— C'est la fille du berger, explique la fermière. Elle passe son temps à courir dans la montagne avec son chien et son biquet. Elle adopte un nouveau chevreau chaque année. Il la suit partout.

— On l'a entendue chanter. Elle a une jolie voix.

— Oui, mais elle est un peu étrange. Lorsque ses parents la grondent, elle disparaît parfois plusieurs jours de suite et personne ne sait où elle se cache.

Mme Gouras quitte la pièce. Les enfants restent silencieux : ils l'entendent dialoguer avec son fils. Quand elle reparaît, ils l'interrogent du regard. Elle s'empresse de répondre à leur question muette :

— Tout va bien. J'ai parlé à Martin. Il ne voit pas d'inconvénient à ce que vous vous installiez au chalet. Lui non plus n'a pas envie de voir ses chiens se battre avec le vôtre.

— Oh ! Super ! s'enthousiasme Annie.

— Merci, madame ! s'écrie Mick. On se mettra en route dès demain matin, après le petit déjeuner !

— Entendu ! Maintenant, allez vite vous coucher.

Les enfants lui souhaitent bonne nuit et montent dans leurs chambres.

Le lendemain matin, au réveil, le Club des Cinq constate que le sol est recouvert d'un épais manteau blanc. Il a neigé toute la nuit et les montagnes resplendissent sous le pâle soleil de janvier.

— Quelle chance ! commente Mick en regardant par la fenêtre. Vite, François, dépêchons-nous de faire nos sacs ! Je voudrais déjà être au chalet...

Les quatre enfants mangent avec appétit le petit déjeuner que leur a préparé la fermière. Celle-ci leur prodigue ses recommandations.

— Et surtout, faites bien attention quand vous allumez un feu dans la cheminée...

— On sera très prudents, répond Claude, qui ajoute en souriant : on n'est plus des bébés, vous savez !

— Heureusement que vous avez l'habitude de camper ! soupire encore Mme Gouras.

Quand les enfants ont fini de manger, ils réunissent leurs bagages. En plus de leurs vêtements les plus chauds, ils emportent des lampes électriques et des cordes pour tirer leurs luges, ainsi que six miches de pain cuites à la ferme, un énorme fromage, trois douzaines d'œufs et un jambon. Au dernier moment, la fermière leur donne encore du beurre et un pot de crème fraîche.

— Mon fils va vous aider à porter tout ça jusqu'au chalet. Et je demanderai au berger de vous livrer du lait, promet-elle. De toute façon, il passe forcément devant le chalet en remontant à la bergerie.

Martin arrive à cet instant. Il balance sur son épaule le sac plein de provisions. Comme d'habitude, il reste silencieux, jusqu'au moment où il marmonne : « En route ! »

— Attendez, je vais vous aider ! propose François.

— Peuh ! fait simplement Martin d'un air dédaigneux.

— Ne t'en fais pas, dit Mme Gouras au jeune garçon. Il est aussi fort qu'un cheval, mon Martin !

— Fort comme dix chevaux, oui ! sourit l'aîné du Club des Cinq, qui admire beaucoup l'athlétique fermier.

Claude, elle, ne souffle mot. Elle ne pardonne pas au fils de la fermière d'avoir manifesté une telle indifférence quand Dagobert a été mordu par ses chiens.

Martin ouvre la marche. Les garçons le suivent, remorquant leurs luges ; les filles, elles, portent leurs skis. Dago, fou de joie, bondit de l'un à l'autre. Chemin faisant, François tente d'engager la conversation avec leur accompagnateur. Mais celui-ci, taciturne, ne répond que par monosyllabes. Le jeune garçon l'observe avec curiosité : l'homme n'a pas l'air méchant. Mais ses manières sont vraiment rudes !

On arrive enfin en vue du chalet. Les filles sont émerveillées.

— Quelle jolie maison de bois ! s'écrie Claude. J'ai hâte de la visiter !

Le fermier introduit la clef dans la serrure et ouvre les volets. Puis il aide à ranger les provisions dans la cuisine. Et soudain, comme il s'apprête à partir, il se retourne vers les enfants :

— Le berger passera vous voir de temps en temps, déclare-t-il de sa voix profonde et sonore.

C'est la première fois que les Cinq l'entendent prononcer tant de mots à la suite. Ils le regardent s'éloigner : Martin fait des enjambées dignes d'un géant de conte de fées.

— Il est quand même bizarre ! s'exclame Annie. Je n'arrive pas à savoir s'il est sympathique ou non !

— Peu importe ! Maintenant, on est seuls ! décrète Mick. Venez, les filles ! Aidez-nous à tout installer !

Tandis que les garçons déballent les affaires, Claude et sa cousine les disposent dans la penderie.

— Et maintenant, si on pensait au repas... suggère François, quand les vêtements sont rangés.

— Déjà ? demande Claude en riant. Notre petit déjeuner n'est pas si loin !

— C'est vrai. Mais on pourrait préparer des sandwichs pour pique-niquer dans la neige.

Ses compagnons approuvent l'idée et tout le monde s'affaire dans la cuisine à la confection des casse-croûte.

— Voilà, tout est prêt ! annonce Annie au bout d'un moment. On peut y aller !

Dagobert, devinant qu'on s'apprête à partir en promenade, court vers la porte en aboyant très fort. Claude le suit, rayonnante. Enfin, son cher compagnon va pouvoir déambuler sans avoir à redouter les chiens de Martin !

— Profites-en bien, Dago ! recommande Mick en riant. La neige n'est pas encore trop épaisse. Mais je me demande ce que tu feras quand tu t'enfonceras jusqu'au ventre !

— Au fait, intervient sa sœur, vous ne pensez pas qu'il pourrait monter sur une luge avec nous ?

— Bonne idée ! acquiesce Claude d'une voix enthousiaste. Je parie que ça te plairait, Dag !

— Eh bien ! en route ! s'écrie François.

Et le Club des Cinq, au grand complet, se précipite dehors.

CHAPITRE 7

Une étrange histoire

Pour cette première journée de plein air, les enfants ne tentent pas de faire du ski. Ce sport exige une très grande dépense physique, or leurs jambes sont encore peu solides. Aussi se contentent-ils de sortir leurs luges.

En se laissant glisser sur les pentes neigeuses, et sans trop se fatiguer, ils peuvent à la fois respirer l'air pur de la montagne et goûter aux joies de la vitesse. Quel plaisir ! Mick prend Claude avec lui et Annie monte derrière François. Il n'y a pas de place pour Dagobert.

— Eh bien ! Tu n'auras qu'à courir derrière ! crie François au chien. Bon, on fait la course ? Un, deux, trois, partez... !

Les deux luges s'ébranlent en même temps, faisant jaillir la neige sur leur passage. Mick et sa cousine arrivent les premiers au bas de la pente, car le traîneau de leurs compétiteurs est victime d'un léger accident : il accroche une racine cachée sous la neige et se renverse tout à coup. François et Annie s'étalent dans la neige ; ils émergent quelques secondes plus tard, clignant des yeux, s'ébrouant et riant.

On remonte les luges jusqu'en haut de la pente. Puis, c'est une nouvelle descente à vive allure. Bientôt les quatre enfants ont les joues toutes rouges et transpirent sous leurs chauds vêtements. La fatigue se fait peu à peu sentir. À midi, ils rentrent pour déjeuner, après quoi ils reprennent leurs jeux.

— Je n'en peux plus, avoue Annie au bout d'un moment. Si tu veux continuer, François, tu seras obligé de remonter le traîneau tout seul.

— Moi aussi j'en ai assez, déclare ce dernier, haletant. Hé, Mick ! Claude ! Vous n'avez pas envie de faire une pause ?

— Bonne idée ! J'en ai bien envie ! répond sa cousine.

Dagobert lui-même apprécie la halte. Il tire la langue de s'être tant dépensé. Les Cinq s'installent donc sur une hauteur et dévorent les sandwichs qu'ils ont pris la précaution d'emporter. François adresse un sourire aux trois autres.

— Dommage que maman ne puisse pas nous

70

voir en ce moment ! déclare-t-il. On a des mines splendides et aucun de nous n'a toussé depuis un bon moment. Mais je parie qu'on aura tous des courbatures demain matin !

Mick ne paraît pas entendre. Il examine avec attention le flanc de colline opposé.

— Voilà la maison que je t'ai montrée hier, François, s'exclame-t-il soudain.

— Tu as de bons yeux, commente Claude. Moi, avec toute cette neige, je ne distingue pas grand-chose...

— Si j'allais chercher mes jumelles ? propose Annie. Attendez, je reviens tout de suite...

Elle court au chalet et reparaît bientôt, le petit engin à la main. Elle le porte à ses yeux et, après l'avoir réglé, examine la pente qui se dresse en face.

— Tu as raison, confirme-t-elle enfin. C'est une maison... et je me demande si ça ne serait pas le Vieux Château... vous vous souvenez ? celui qui est gardé par un molosse...

— C'est un épisode qu'on n'est pas près d'oublier... soupire Claude. S'il te plaît, Annie, passe-moi tes jumelles. Je voudrais bien voir moi aussi !... Oh ! Tu ne t'es pas trompée. Je reconnais les tours du Vieux Château...

Au même instant Dagobert se met à aboyer, le museau tendu vers le sentier.

— C'est peut-être Miette... murmure François d'un ton plein d'espoir.

Mais ce n'est pas la jeune montagnarde. Les Cinq aperçoivent une femme de petite taille, toute menue, vêtue de chauds lainages. Elle marche d'un pas rapide. En voyant les enfants, la nouvelle venue ne manifeste aucune surprise. Elle s'arrête et leur dit « Bonjour », de la façon la plus naturelle du monde.

Puis elle se tourne vers Mick et François.

— C'est vous les deux garçons dont ma petite Miette m'a parlé hier soir, n'est-ce pas ? demande-t-elle. Est-ce que vous logez au chalet des Gouras ?

— Oui, madame, répond poliment l'aîné. On devait habiter à la Ferme des Joncs, mais notre chien s'est battu avec ceux de Martin. C'est pour ça qu'on est montés ici. L'endroit nous plaît beaucoup. La vue est magnifique.

La femme serre un peu plus son châle autour de ses épaules et soupire :

— Si vous voyez ma fille, dites-lui de rentrer à la maison, d'accord ? Ah ! Elle me cause du souci. Parfois, je me demande si elle n'a pas le cerveau un peu dérangé... comme la vieille dame qui vit là-bas, ajoute-t-elle en désignant du doigt la colline où se dresse le Vieux Château.

— Vous savez quelque chose au sujet de

cette maison ? demande Mick sentant sa curiosité s'éveiller. On s'est égarés en venant à la Ferme des Joncs, l'autre soir, et on s'est retrouvés juste devant le portail...

— Et j'imagine que vous n'avez pas pu entrer ! l'interrompt la mère de Miette. L'écriteau sur la porte et tout le reste !... Dire qu'autrefois j'allais là-bas trois jours par semaine pour faire le ménage. Et mon mari, le berger, m'aidait à y porter des provisions... C'était un endroit très accueillant ! Mais les temps ont bien changé. À l'heure qu'il est, la vieille Mme Thomas – c'est le nom de la propriétaire – ne veut plus voir personne. Enfin, personne du coin. Elle n'accepte de recevoir que les amis de son neveu. Pauvre femme... La rumeur dit qu'elle est à moitié folle. Moi, je le crois volontiers. Sans ça, elle ne me fermerait pas sa porte, moi qui l'ai servie durant tant d'années !

Tout cela excite au plus haut point l'intérêt des enfants.

— Pourquoi cette Mme Thomas ne veut-elle même pas qu'on s'approche de sa propriété ? demande François.

— Ah ! ça, murmure la femme, personne ne sait ce qui se passe derrière ces murs... La maison elle-même est devenue aussi étrange que sa propriétaire. Mon mari m'a dit qu'il y avait entendu des bruits la nuit... Il a même vu comme des brouillards s'élever de ses tours. Des lueurs troublantes, aussi...

Claude commence à penser que c'est là un conte à dormir debout, inventé de toutes pièces par le berger furieux de se voir refuser l'entrée du château. Elle ne peut s'empêcher de sourire d'un air incrédule.

— Oh ! vous pouvez rire ! poursuit la mère de Miette, un peu vexée. Mais je vous assure que, depuis le mois d'octobre dernier, il se passe de drôles de choses dans le coin. Il paraît qu'on voit de grands camions entrer et sortir du Vieux Château en pleine nuit. Que font-ils ? Personne n'en sait rien... Mais, si vous voulez mon avis, ils emportent les meubles, les tableaux, les objets précieux de cette pauvre Mme Thomas... Elle était douce et bonne, et maintenant tout le monde se demande ce qui est en train de lui arriver !

Des larmes perlent aux yeux de la jeune femme. Elle les essuie d'un geste furtif.

— Je ne devrais pas vous raconter tout ça... soupire-t-elle. Vous êtes jeunes. Je ne voudrais pas vous effrayer. De toute façon, je dois continuer à chercher ma fille. Il faut que je la retrouve avant la tombée de la nuit.

— Si on la voit, on lui dira de rentrer tout

droit à la maison. De votre côté, si vous passez près de la Ferme des Joncs, pourriez-vous dire à Mme Gouras que tout va bien au chalet ?

La mère de Miette se charge volontiers de la commission. Puis, sur un bref « Au revoir », elle reprend sa marche rapide et sûre de montagnarde.

Mick la suit un moment des yeux. Puis, il se gratte la tête.

— Tout ça me paraît bien mystérieux... Vous pensez qu'il s'agit de simples ragots de village ? Il y a peut-être une part de vérité dans son récit...

— Peuh !... ce ne sont que des racontars ! répond Claude.

— Drôle de famille, tout de même ! observe Annie. Un berger qui passe son temps tout seul dans la montagne... une petite fille qui vagabonde en compagnie d'un chien et d'un chevreau... et une mère qui vient nous débiter des histoires sans queue ni tête !

Mick regarde autour de lui.

— Eh ! s'écrie-t-il. La nuit commence déjà à tomber. On ferait mieux de rentrer au chalet !

Les Cinq se mettent en route et ont vite fait de rallier leur nouvelle maison. Immédiatement, ils allument un feu dans la cheminée : bientôt une douce chaleur règne dans la salle commune et une grosse lampe éclaire la scène paisible des enfants réunis autour de la table.

— Et maintenant, à quoi on joue ? questionne la benjamine du groupe. Il est encore trop tôt pour dîner...

— On pourrait faire une partie de tarots ! suggère François.

— D'accord ! acquiesce Claude. On a bien fait d'apporter des cartes !

Les enfants s'amusent quelque temps, mais finissent par se lasser. Ils ont suffisamment fait de jeux de société pendant qu'ils étaient malades.

Mick sent qu'il commence à avoir des fourmis dans les jambes ; il se lève pour se les dégourdir un peu. Il va jusqu'à la fenêtre et scrute les ténèbres qui, maintenant, enveloppent le chalet et masquent presque les collines couvertes de neige. Soudain, le garçon écarquille les yeux de surprise. Il demeure un moment silencieux puis, sans tourner la tête, se décide à alerter les autres.

— Vite ! crie-t-il. Venez voir !... Regardez de ce côté... Je n'ai jamais rien vu d'aussi extraordinaire !

D'un seul élan, François, Claude et Annie se précipitent vers la fenêtre.

CHAPITRE 8

Au milieu de la nuit

— Qu'est-ce qu'il y a ? questionne Claude, très intriguée.

François, lui, se tient derrière son frère et essaie de voir par-dessus son épaule. Annie vient coller son nez contre la vitre. Dagobert, gagné par l'agitation des enfants, sautille dans tous les sens.

— Oh... Je ne distingue plus rien, constate Mick avec dépit.

— Mais qu'est-ce que tu as vu ? insiste sa cousine.

— C'est difficile à décrire. Ça se passait par là-bas... sur la colline en face... du côté du Vieux Château, répond le jeune garçon. Je ne sais pas vraiment ce que c'était... ça ressemblait à une sorte d'arc-en-ciel...

77

— Quoi ? Essaie d'être un peu plus clair ! presse François.

— Eh bien, j'ai cru voir une colonne d'air tremblotante et lumineuse qui s'élevait tout à coup de cette colline. Mais elle a disparu maintenant...

— Ça me rappelle les mystérieux phénomènes décrits par la mère de Miette... observe Claude en fronçant les sourcils. Moi qui pensais qu'il ne s'agissait que de commérages... Que peut bien signifier ce trait de lumière que tu as vu s'élever dans le ciel, Mick ?

Les quatre enfants continuent à scruter en direction de la colline opposée avec l'espoir que le phénomène se reproduise. Mais rien ne se passe. L'horizon est d'un noir d'encre.

— J'en ai assez de regarder par la fenêtre pour ne rien voir ! déclare Annie au bout d'un moment. Si on allait préparer le dîner ? En entrée, on pourrait manger des œufs durs en salade.

— D'accord ! acquiescent ses deux frères.

— Moi, je vais tout de même aller jeter un coup d'œil dehors, décide Claude. Cette histoire me trouble beaucoup !

La jeune fille quitte le chalet, Dagobert sur les talons. Mais une minute plus tard, on entend un cri :

— Hou là ! Qu'est-ce que c'est que ça ?

Les trois autres se précipitent vers la porte d'entrée.

— Claude ! appelle François. Qu'est-ce qui se passe ?

Sa cousine paraît sur le seuil, souriante, Dago à son côté.

— Rien de grave, répond-elle. Je suis désolée de vous avoir fait peur. Mais j'étais à peine sortie que quelque chose s'est précipité sur moi et m'a fait trébucher.

— Qu'est-ce que c'était ? s'inquiète Annie. Et Dag, il n'a pas aboyé ?

— Je crois bien que c'était le chevreau de Miette. Il s'est enfui avant que j'aie le temps de me remettre de ma frayeur. Quelle frousse ! Finalement, je n'ai plus tellement envie de m'aventurer toute seule dehors. Je vais vous aider à préparer le dîner.

Quelques instants plus tard, les quatre enfants sont réunis autour de la table et mangent de bon appétit. Ils accompagnent leur salade d'œufs durs de fromage et de tartines de beurre frais. Pour finir, ils dégustent quelques cuillerées de confiture.

— C'était un délicieux repas ! déclare François. On fera la vaisselle demain. Je ne sais pas si vous avez l'intention de veiller tard... mais, moi, j'avoue que je tombe de sommeil. Ce doit être le grand air qui me fait cet effet-là !

— Tu as raison, approuve Claude. Une bonne nuit ne nous fera pas de mal. Allons nous coucher.

Les uns après les autres, les enfants sombrent dans un profond sommeil. Les cendres du feu rougeoient dans l'âtre.

Tout à coup, quelque chose vient troubler le repos de Dagobert, paisiblement allongé aux pieds de sa jeune maîtresse. Il ouvre les yeux. L'une de ses oreilles se dresse, puis l'autre. L'instant d'après, le chien est debout sur ses pattes. Un sourd grondement s'échappe de sa gorge.

— Grrr... Grrr... !

Cependant, les enfants ne se réveillent pas tout de suite. L'animal continue à gronder, encore et encore, et de plus en plus fort. Pour finir, il pousse un aboiement sonore :

— Ouah !

Cette fois, François, Mick, Claude et Annie sont arrachés à leur sommeil. Dago aboie de nouveau. Sa maîtresse lui met la main sur la tête pour le calmer.

— Chut, Dag ! Qu'est-ce qui se passe ? Tu as entendu quelqu'un rôder ?

— Qu'est-ce qu'il y a ? crie l'aîné du groupe en se précipitant dans la chambre des filles.

Mais personne ne trouve d'explication à l'attitude étrange du chien. Dehors, tout paraît calme. On n'entend rien, sinon de rares crépitements provenant du foyer de la cheminée.

— Tu as raison, Claude, conclut Mick au bout d'un moment. Quelqu'un est sans doute passé devant le chalet. On pourrait laisser sortir Dag pour s'assurer que le rôdeur est parti ?

— Oh ! non ! proteste sa cousine. Je ne veux pas qu'il coure de danger ! Attendons de voir s'il aboie encore.

— Si ça se trouve, c'est juste une souris qui a traversé notre chambre en courant, suggère Annie. Vous connaissez Dago ! Il crie aussi fort pour une mouche que pour un éléphant !

— Oui, tu as raison, admet Claude avec un sourire. D'ailleurs, regardez : Dag s'est recouché. Ce n'était qu'une fausse alerte. Mais je t'en supplie, mon petit chien, si tu aperçois encore une souris, laisse-la tranquille et ne nous réveille pas !

Dagobert avance la tête et balaie le visage de Claude d'un coup de langue. Peu à peu le silence retombe dans les deux chambres.

Les oreilles du chien, cependant, demeurent dressées. Les enfants se sont tous rendormis, à l'exception d'Annie. Allongée sur sa couchette, elle a les yeux ouverts et se demande ce qui a tiré Dagobert de sa somnolence.

Soudain, la fillette frissonne : elle a entendu un bruit des plus étranges. Apeurée, elle se redresse.

« On dirait un grondement très lointain, songe-t-elle attentive, ça ressemble à un roulement de tonnerre, mais pas au-dessus de ma tête... au-dessous de moi, au contraire... et très profond ! »

Dago pousse un faible gémissement comme pour faire savoir que lui aussi, de son côté, a perçu le mystérieux râle.

Au même instant, le bruit s'amplifie. Le chien lui donne la réplique en grondant à son tour. Annie se penche vers la couchette au-dessous :

— Chut, Dago, tais-toi, chuchote-t-elle. Tout va bien. Ce doit être un orage dans la vallée !

C'est alors qu'elle ressent une secousse, puis une autre, et encore une troisième... Les vibrations se produisent si brusquement que la fillette ne comprend pas tout de suite ce qui arrive. Sur le coup, elle pense que c'est elle qui tremble de froid pour être restée trop longtemps à moitié dressée sur son lit. Mais non... en posant ses doigts sur le cadre de fer, elle s'aper-

çoit que la couchette elle-même est en train de bouger.

— François ! Mick ! Claude ! Réveillez-vous ! Il se passe quelque chose ! crie-t-elle.

Lui faisant écho, Dagobert se met à aboyer à pleine voix :

— Ouah, ouah, ouah ! Ouah, ouah !

En un instant, c'est un branle-bas général dans les deux petites chambres, et les exclamations fusent de part et d'autre :

— Quoi ?

— Qu'est-ce que c'est ?

— Qui a appelé ?

Le tout dominé par les aboiements frénétiques de Dagobert déchaîné !

CHAPITRE 9

Des faits troublants

Tout le monde est en effervescence. Dans sa précipitation, François oublie qu'il occupe une couchette supérieure et saute d'un seul coup de son lit. Il s'étale sur le plancher. Puis il se relève, secoué et plutôt ahuri.

— Eh bien ! s'écrie son frère, mi-alarmé, mi-amusé. Tu ne t'es pas fait de mal, j'espère ?

De leur chambre, les garçons entendent Claude discuter avec Annie :

— Pourquoi tu as crié ? Qu'est-ce que tu as vu ?

— Je n'ai rien *vu*. Mais j'ai entendu et senti quelque chose ! Mais maintenant, c'est terminé.

Les deux filles viennent de rejoindre François et Mick.

— Qu'est-ce qu'il y a ? interroge l'aîné, tout en se frottant le genou sur lequel il a atterri.

— C'était... eh bien... une sorte de grondement très, très sourd, explique sa sœur. Peut-être souterrain. En tout cas très lointain. On aurait dit le tonnerre, non pas dans le ciel mais sous terre. Ensuite, il y a eu des... des secousses ! J'ai senti trembler le cadre de ma couchette. C'est difficile à décrire. En tout cas, j'ai eu très peur.

— C'était peut-être un petit tremblement de terre... suggère Mick, qui se demande si la fillette n'a pas rêvé. Tu es sûre que tu ne dormais pas tout à l'heure ?

— Tout à fait sûre ! affirme Annie. J'étais bien réveillée et...

Au même instant, le phénomène se produit à nouveau. D'abord le curieux grondement, lointain et comme étouffé, tel qu'Annie l'a décrit. Puis les secousses. Les enfants ressentent tous les étranges vibrations du sol sous leurs pieds.

— J'ai l'impression d'avoir un marteau-piqueur à l'intérieur du corps, s'exclame Mick ébahi. Je tremble de partout !

— Moi aussi ! renchérit Claude. Et quand je mets la main sur la tête de Dago, je le sens frémir comme nous. C'est comme si je touchais une pile électrique !

— Ah ! Ça y est ! On dirait que c'est fini ! annonce François juste au moment où Claude cesse de parler. Tout s'est arrêté d'un coup. Et je n'entends plus cette espèce de grondement souterrain.

Les autres acquiescent : les secousses mystérieuses et le lointain vrombissement ont en effet disparu en même temps.

— À tous les coups, ces phénomènes ont un lien avec le faisceau lumineux et tremblotant que j'ai aperçu dans le ciel hier soir, juste au-dessus du Vieux Château, affirme Mick. J'ai bien envie d'aller regarder par la fenêtre de la salle à manger pour voir s'il ne se passe rien d'anormal par là-bas !

Le jeune garçon se précipite au rez-de-chaussée. Les autres l'entendent pousser un grand cri et appeler :

— Venez vite voir ! Dépêchez-vous !

Tous dévalent l'escalier, y compris Dagobert, et rejoignent Mick dans la pièce principale. Le chien se dresse même sur les pattes de derrière pour mieux voir. Là-bas, au-dessus de la colline, semble planer une brume... une sorte de brouillard rougeâtre, qui éclaire la nuit. Par

moments il se déplace en tournoyant, avec lour-
deur.

— Ça, alors ! bégaie la benjamine du
groupe, stupéfaite. Quelle drôle de couleur ! Ce
n'est pas franchement rouge... ni jaune... ni
orange...

— Qu'est-ce qui peut bien se manigancer
là-bas ? s'interroge sa cousine en écarquillant
les yeux. Je commence vraiment à croire que
la maman de Miette avait raison de s'inquiéter... Demain, je propose qu'on aille à la décou-
verte de ce Vieux Château.

— La brume se dissipe ! annonce Annie.
Regardez ! Elle change de teinte... elle devient
plus foncée. Oh ! la voilà partie !

Les enfants restent un moment immobiles à
la fenêtre, puis François sent sa sœur grelotter
à son côté.

— Tu es gelée ! s'exclame-t-il. Va vite te
recoucher. Il ne manquerait plus que tu t'en-
rhumes de nouveau !

Le lendemain, tous se réveillent tard, les
frayeurs de la veille et les émotions de la nuit
les ayant épuisés.

— Debout ! Debout ! s'écrie François en
descendant prudemment de sa couchette. Il est
plus de dix heures. Je meurs de faim.

Après avoir fait leur toilette, les quatre enfants préparent le petit déjeuner et s'installent à table. Tout en mangeant, ils commentent les événements de la nuit ; ceux-ci leur semblent moins extraordinaires au grand jour.

Soudain, au beau milieu de la discussion, Dagobert court à la porte et se met à aboyer.

— Qu'est-ce qui se passe encore ? s'inquiète Claude.

C'est alors qu'un visage apparaît derrière la fenêtre, un visage remarquable, hâlé par le grand air, tout plissé de rides, et pourtant singulièrement jeune. Les yeux sont aussi bleus qu'un ciel d'été. Cette figure appartient à un homme, portant barbiche et moustaches.

— On dirait... balbutie Annie, interdite. On dirait un personnage de légende, sorti tout droit d'un livre. Qui est-ce que ça peut bien être ?

— Le berger, je suppose, répond François avec bon sens. On pourrait lui proposer d'entrer et en profiter pour l'interroger...

Il ouvre la porte et demande :

— Vous êtes le berger ? On est en train de déjeuner. Venez partager notre repas.

L'homme entre et sourit à la ronde. Annie lui offre une place, tandis que François lui prépare un bol de café. L'invité s'attable.

— Est-ce qu'on peut vous poser une petite

question, commence Mick. Avez-vous entendu des bruits étranges la nuit dernière, ou senti une sorte de tremblement de terre ? Et avez-vous aperçu une brume flottant sur l'horizon ?

— Oui, et d'ailleurs, ce n'était pas la première fois, déclare le berger. Ces phénomènes se produisent tous les soirs, depuis plusieurs semaines ! Je peux vous affirmer que cette colline, là-bas, est... maléfique. Oui, maléfique, c'est bien le mot. À votre place, mes enfants, je ne m'en approcherais pas. Voyez, je porte une boussole dans la poche de mon manteau. Eh bien, cette boussole devient folle chaque fois que je m'approche du Vieux Château.

À la sincérité de son ton, les enfants comprennent que le berger ne cherche pas à leur raconter des histoires.

— Il faut que je m'en aille maintenant, annonce ce dernier en reposant son bol vide sur la table. Ah ! J'allais oublier de vous remettre les bidons de lait que m'a confiés Mme Gouras. À bientôt !

Il dépose trois bouteilles en métal sur la table et s'en va. Les enfants le voient passer devant la fenêtre, de son allure souple et puissante de montagnard.

— Essayons d'oublier tous les événements

de la nuit, conseille Claude. Si on allait faire un tour en ski !

— Oui, oui ! s'écrie Mick avec enthousiasme. Je me sens un peu courbatu après mes exploits d'hier, mais ça ne fait rien. Je meurs d'envie d'essayer ces pentes couvertes de neige.

— Moi aussi ! renchérit sa cousine. On filera comme des bolides !

— Eh bien, dépêchons-nous de faire la vaisselle, décide François. On sortira après, d'accord ?

— D'accord ! répondent les autres d'une seule voix.

— Ouah ! fait Dagobert.

CHAPITRE 10

Sur la colline du Vieux Château

Le pauvre Dago se rend vite compte que cette partie de ski ne sera pas drôle pour lui : il n'arrive pas à suivre les enfants qui filent à toute vitesse. Il finit par buter contre un tas de neige et tombe dans un trou la tête la première. Quand il réussit à s'en extraire, il s'ébroue, puis, tristement, va s'asseoir sur une hauteur d'où il se met à surveiller d'un air morne les ébats de ses compagnons.

Ceux-ci s'en donnent à cœur joie. Tous quatre sont assez bons skieurs. La colline sur laquelle est bâti le chalet dévale en pente douce sur une belle longueur. La courbe se relève ensuite pour se prolonger sur la colline en face, celle au sommet de laquelle se dresse le Vieux Château.

François arrive le premier au bas de la première pente et, emporté par son élan, parcourt une certaine distance au flanc de l'autre. Alors, il appelle :

— Eh ! Si on grimpait jusque là-haut ? Une fois arrivés, on se laissera à nouveau glisser et la vitesse nous fera gravir une partie de notre propre colline. Ce sera toujours ça de gagné !

— Regardez... murmure alors Claude. On voit très bien le Vieux Château d'ici !

C'est vrai. On distingue nettement l'antique bâtisse, flanquée de ses deux tours.

— Je me demande si cette Mme Thomas habite toujours là... songe Mick à voix haute.

— La pauvre ! poursuit Annie avec un soupir. Si c'est le cas, son existence ne doit pas être bien drôle. Ne voir personne... rester cloîtrée dans une vieille maison !

— Et si on allait frapper à sa porte ? l'interrompt soudain François. On pourrait faire semblant d'avoir perdu notre chemin... et on en profiterait pour jeter un coup d'œil au château.

— Tu oublies le chien féroce... objecte Mick.

— Oui... C'est un problème, reconnaît son frère.

Tout en parlant, les jeunes skieurs sont arrivés en haut de la côte.

— Eh ! s'exclame soudain Claude. J'aperçois quelqu'un à l'une des fenêtres de la tour... celle de droite ! Vous voyez ?

En un éclair, François discerne une silhouette qui disparaît presque aussitôt.

— Tu as raison ! Il y avait quelqu'un... quelqu'un qui nous observait. Vous avez réussi à voir si c'était un homme ou une femme ?

— Une femme, à ce qu'il m'a semblé, répond sa cousine. Peut-être la vieille Mme Thomas... Oh ! Et si elle était retenue prisonnière dans cette tour pendant que ses geôliers la dévalisent ? Rappelez-vous ce qu'on nous a dit : de gros camions vont et viennent du Vieux Château au beau milieu de la nuit.

— Une chose est sûre, conclut Mick, la prochaine fois qu'on viendra, il faudra qu'on emporte nos jumelles...

À nouveau, tous tournent leurs regards vers la fenêtre. Juste à cet instant, une main invisible ferme les rideaux de la pièce.

— On nous a repérés !... et « on » n'a pas l'air de vouloir qu'on en sache trop ! analyse François. Le mieux est de ne pas éveiller davantage de soupçons ; il est préférable de montrer qu'on s'en va. Venez : essayons cette descente !

Le jeune garçon et Annie dévalent la pente du Vieux Château et, sans s'arrêter, remontent presque à moitié la côte du chalet. Mais leur frère et leur cousine ont moins de chance. Tous deux accrochent leurs skis en butant contre un obstacle invisible. Ils sont projetés en l'air, puis retombent dans la neige molle. Ils restent étendus un moment sur le sol, hors d'haleine et un peu étourdis par le choc.

— Eh bien ! s'écrie enfin Mick. Quelle chute ! Tu ne t'es pas fait mal, au moins, Claude ?

— Je ne crois pas, répond la jeune fille. Laisse-moi tâter ma cheville gauche... Non, ce n'est rien... Ah ! Voici Dago ! Il nous a vus tomber et vient à notre secours. Tout va bien, Dag ! Personne n'est blessé. Laisse-nous reprendre notre souffle !

Tandis que les deux skieurs sont encore allongés sur la neige, à mi-pente du Vieux Château, une voix furieuse les interpelle de loin.

— Hep ! là-bas ! Déguerpissez, et en vitesse !

Mick se redresse et regarde dans la direction de la grande bâtisse. Il aperçoit un homme de haute taille qui se dirige vers eux à grands pas. À l'expression de son visage, on ne peut douter qu'il soit très en colère.

— On ne fait rien de mal ! crie le jeune gar-

çon lorsque le nouveau venu n'est plus qu'à quelques mètres. On skie. Qui êtes-vous ?

— Je suis le gardien de cette maison, répond l'homme en désignant le Vieux Château, et ce champ fait partie de la propriété. Allez, ouste ! filez vite !

Claude se lève.

— On ira demander au propriétaire la permission de skier sur son terrain, réplique-t-elle poliment, tout en songeant que ce sera une excellente occasion de venir fouiller dans le coin.

— Inutile d'essayer ! Je vous le répète, et il n'y a que moi au château... Je suis chargé d'empêcher quiconque voudrait pénétrer sur ces terres. Je lâcherai mon chien sur vous si je vous reprends à rôder par ici !

Là-dessus, l'irascible personnage tourne les talons et s'éloigne à grandes enjambées.

— Ha ! Cet homme ment ! décrète Mick un instant plus tard. Il dit qu'il est seul au château alors qu'on a aperçu une femme à la fenêtre de la tour !

Tout le temps que le gardien leur a parlé, Claude a tenu Dagobert par le collier. Devinant d'instinct un ennemi dans cet individu en colère, le chien s'est mis à gronder et sa maîtresse a pu craindre qu'il ne devienne agressif.

Les deux enfants s'assurent que les skis tiennent bien à leurs pieds et se lancent à nouveau sur la pente lisse. François et Annie les attendent sur l'autre versant.

— Qui était ce type ? demande la fillette. On l'a vu vous crier dessus ! Il vient du Vieux Château ?

— Oui, répond son frère. Il nous a interdit de revenir skier dans les parages. La colline ferait partie du domaine dont il a la garde... Il prétend qu'il est seul au Vieux Château !

— Tu parles ! lance l'aîné du groupe. Cet homme a peur qu'on découvre ce qui se trame dans la maison ! Tout ça paraît bien mystérieux...

Les quatre enfants regagnent le chalet. Bientôt, ils s'assoient autour de la table et attaquent leur déjeuner avec un joyeux appétit.

— Je crois qu'il va recommencer à neiger ! annonce Mick en observant à travers la fenêtre.

— Où peut se trouver la petite Miette en ce moment... ? murmure son frère. Ce serait terrible si elle était prise dans une tempête ! Elle ne pourrait peut-être pas rentrer chez elle et serait obligée de coucher toute seule dehors. De gros flocons tombent déjà !

Au même instant, Annie pousse une joyeuse exclamation.

— Quand on parle du loup ! Regardez de ce côté ! Voilà Miette qui arrive !

C'est bien la petite montagnarde, escortée de son chien et tenant son biquet dans les bras.

— Faisons-la vite entrer, décide Claude, et donnons-lui à manger. Puis on lui demandera si elle sait qui habite le Vieux Château.

— D'accord, je vais l'appeler, acquiesce François en se précipitant vers la porte. Je suis sûr qu'elle sait quelque chose : elle passe son temps dehors ! Elle aura forcément remarqué ce qui se déroule autour d'elle.

Le jeune garçon ne se trompe pas. Miette détient, en effet, des informations... des informations très précieuses !

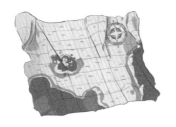

CHAPITRE 11

Les révélations de Miette

Cette fois-ci, Miette ne fait pas mine de se sauver quand François ouvre la porte. Ses joues sont toutes rouges et elle n'a pas l'air d'avoir froid.

— Bonjour, Miette ! s'écrie le garçon. Entre vite. On vient de finir de déjeuner, mais il reste quelque chose pour toi !

La table n'est pas encore débarrassée et les enfants lui offrent de la viande. Mais l'invitée secoue la tête et désigne le fromage du doigt.

— Miette aime bien *ça* ! déclare-t-elle.

Ses yeux se mettent à briller quand Annie lui tend une portion généreuse. Elle s'assoit pour manger.

— Miette, on voudrait te poser une ou deux

questions... Est-ce que tu sais qui habite le Vieux Château ? s'enquiert François.

— Beaucoup... plein de gens ! répond la petite fille en cherchant ses mots. Des hommes grands, des hommes petits. Un gros chien aussi. Beaucoup plus gros que lui ! ajoute-t-elle en montrant Dagobert.

Les Cinq échangent des regards surpris. Beaucoup d'hommes ? Que peuvent-ils bien faire au Vieux Château ?

— Dire que le gardien a prétendu qu'il était seul là-bas ! soupire François.

— Miette ! enchaîne Claude. Tu as vu une vieille dame au Château ?

La fillette hoche la tête.

— Oui, affirme-t-elle. Une vieille dame. Je l'ai vue en haut, dans la tour... Les premières fois, elle ne me voyait pas. Je me cachais.

— Et où tu te cachais ? interroge Mick avec curiosité.

— Je ne veux pas le dire ! déclare la montagnarde en considérant son interlocuteur à travers des cils mi-clos, comme pour mieux défendre son secret.

— Tu as aperçu cette vieille dame quand tu étais dans les champs ? tente François.

Miette fait signe que non.

— Où, alors ? Regarde ! Je te donnerai cette barre de chocolat si tu me le dis...

La petite observe la confiserie avec des yeux brillants et, d'un mouvement rapide, essaie de l'attraper. Mais l'aîné du Club des Cinq est plus rapide qu'elle.

— Parle d'abord, insiste-t-il. Après, tu auras ton chocolat.

D'un geste brusque, l'enfant tend les bras et veut pousser le garçon pour le faire tomber. Ce dernier se met à rire.

— Hé, Miette ! Doucement ! Je suis ton ami. On ne doit pas frapper un ami...

Il est interrompu par un cri de Mick.

— Ça y est ! Je devine où était sa cachette quand elle a aperçu Mme Thomas : dans le jardin !

— Co... comment... tu sais ? bégaie la petite montagnarde, se dressant face au jeune garçon avec un air à la fois furieux et effrayé.

— Allez, ne fais pas cette tête-là ! poursuit Mick, surpris par cette attitude.

— Comment tu sais que j'étais dans le jardin ? insiste la fillette. Tu ne l'as dit à personne ?

— Bien sûr que non ! Je viens juste d'y penser ! Mais comment as-tu réussi à entrer ?

— Je ne veux pas le dire, rétorque Miette, qui, aussitôt, fond en larmes.

Annie passe un bras compatissant autour de ses minces épaules, mais l'enfant la repousse.

— C'est Toto... pas moi ! Il est entré le premier. Pauvre Toto ! J'ai entendu le gros chien aboyer. Oouah, ouah !... comme ça, et alors...

— Et alors tu t'es précipitée au secours de Toto ? C'est très courageux de ta part ! la félicite Claude.

Ces compliments vont droit au cœur de la petite. Elle sèche ses larmes d'un revers de main. Les pleurs laissent une trace brune sur son visage mal débarbouillé. La fille du berger sourit.

— Alors comme ça, elle a réussi à se faufiler dans le jardin du Vieux Château... chuchote François à voix basse. Je me demande par où elle est passée. À travers la haie, peut-être ?...

Puis il s'adresse à la fillette :

— On voudrait bien voir la vieille dame, nous aussi. Est-ce qu'on pourra entrer dans le jardin par la haie ?

— Non, répond Miette en secouant la tête d'un geste énergique. Il y a une barrière là... Une grosse barrière très haute... et qui mord !

La pensée d'une barrière qui mord fait rire

tout le monde, mais Claude devine ce que cela signifie.

— Ce doit être une clôture électrique ! explique-t-elle. Décidément ! Ces gens-là ont transformé le Vieux Château en véritable forteresse !

— Miette ! intervient soudain Annie. On dirait que tu as vu cette vieille dame plusieurs fois. Et elle, elle a fini par te voir ?

La fille du berger ne comprend pas très bien la question et il faut la lui répéter plus lentement.

— Oui, oui, affirme-t-elle alors. Je l'ai aperçue plusieurs fois, là-haut... et une fois elle m'a vue. Elle a jeté un papier... Un petit morceau de papier, par la fenêtre.

François sursaute.

— Et ce papier, tu l'as ramassé ? questionne-t-il. Il y avait quelque chose dessus ?

Chacun attend avec anxiété la réponse de l'enfant. Elle hoche la tête.

— Oui. Des mots écrits comme avec un vieux stylo à plume.

— Tu as gardé ce message ?

La fillette se met à fouiller dans la poche de sa jupe et en tire une feuille qui semble avoir été arrachée d'un calepin. François, Mick,

Claude et Annie se penchent pour déchiffrer ce qui est inscrit dessus :

> *Venez à mon secours. Je suis retenue prisonnière ici, dans ma propre demeure, tandis qu'il se passe des choses terribles. On a enlevé mon neveu. J'ai besoin d'aide.*
>
> ÉLISE THOMAS.

— Pas possible ! s'exclame l'aîné du groupe, stupéfait. Ça a l'air plus grave que ce que je pensais... On devrait peut-être avertir la police...

— Personne ne nous prendra au sérieux, objecte Claude. Souviens-toi de ce que nous a raconté la mère de Miette : Mme Thomas aurait le cerveau un peu dérangé. Si c'est bien le cas, ce qu'elle décrit dans le message n'est pas vrai.

— Mais comment en être sûr ? s'inquiète Annie.

— Miette, dit Mick en se tournant vers la petite fille, on aimerait voir cette vieille dame. On voudrait lui apporter quelque chose de bon à manger. Elle est toute seule, la pauvre, elle est triste. Tu veux bien nous indiquer comment pénétrer dans le jardin ?

— Non, répond l'enfant d'une voix ferme.

Il y a le gros chien... qui montre les dents comme ça !

Elle exhibe ses dents minuscules et s'efforce de gronder comme un molosse, à la grande surprise de Dagobert. Les Cinq ne peuvent s'empêcher de rire.

— On ne peut pas l'obliger à parler, conclut enfin François. Et d'ailleurs elle a raison : dans le jardin, il y a le chien féroce. Aucun d'entre nous n'a envie de l'affronter !

— Je peux vous faire entrer dans la maison, intervient soudain la petite fille, d'une manière tout à fait inattendue.

— Dans la maison ? répète Claude, ébahie. Mais pour ça, il faudra bien passer par le jardin, non ?

— Non, reprend Miette en secouant la tête. Je connais un chemin... Je vous montrerai...

Juste à cet instant, Dago se met à aboyer. Une ombre se dessine devant la fenêtre, puis quelqu'un frappe à la porte. C'est la mère de Miette qui monte faire une commission à son mari, le berger. À travers la vitre, elle a aperçu sa fille. Debout sur le seuil, elle se met à l'interpeller et à la gronder très fort. La petite, l'air effrayé, court vers un placard pour s'y cacher, le chien et le biquet sur ses talons.

Mais la ruse de l'enfant ne sert pas à grand-chose. Sa maman s'élance à ses trousses et la rattrape en deux secondes. Elle la secoue rudement. Dagobert, qui n'aime pas la violence, commence à gronder. Toto, au contraire, semble aussi effrayé que sa petite maîtresse. Quant au chevreau, il bêle dans les bras de la petite fille.

— Je ramène Miette à la maison ! s'écrie la mère en colère, tout en foudroyant François, Mick, Claude et Annie du regard comme s'ils étaient responsables de l'escapade de sa fille.

Elle sort dans un tourbillon, traînant sa fille derrière elle, sans que les Cinq puissent s'interposer. Au bout d'un moment, l'aîné du groupe prend la parole.

— Dites, je crois qu'on ferait bien de descendre jusqu'à la ferme des Gouras pour mettre Martin au courant de ce qui se passe...

— Martin ? s'écrient les autres d'une seule voix.

— Eh oui ! Martin. Si cette histoire du Vieux Château doit être prise au sérieux... c'est-à-dire si cette vieille dame est vraiment prisonnière là-bas... on ne peut rien faire par nous-mêmes. Martin, lui, sera en mesure d'agir. Il connaît la région et, vu sa carrure, il ne doit avoir peur de rien. Descendons maintenant ! Bouclons tout ici et partons !

CHAPITRE 12

L'étrange comportement de Martin

Claude n'a aucune envie de descendre à la ferme. Elle craint que Dagobert ne soit attaqué une seconde fois par les bergers allemands de Martin. François surprend l'expression de son visage et devine son hésitation.

— Tu préférerais attendre ici avec ton chien jusqu'à notre retour ? demande-t-il. Tu n'auras pas peur si les bruits de cette nuit et le tremblement de terre se reproduisent ?

— Non, ne t'en fais pas, répond sa cousine. Et de toute façon, Dag veillera sur moi.

— Je vais rester avec Claude, déclare Annie. Je lui tiendrai compagnie. Et puis je suis tellement fatiguée que je risquerais de retarder la marche jusqu'à la ferme des Joncs.

— D'accord ! approuve Mick. François et

moi, on partira seuls. En nous dépêchant, on pourra peut-être rentrer avant la tombée de la nuit !

Les deux frères se mettent en route et dévalent le sentier de la montagne, blanc de neige et tout juste assez large pour qu'ils puissent marcher côte à côte. Quand enfin ils aperçoivent la ferme, un soupir de soulagement leur échappe. Le crépuscule n'est pas encore tombé mais, déjà, on a allumé la lumière sur le perron. Comme cette lumière semble accueillante !

Les garçons entrent par la porte principale et vont tout droit trouver Mme Gouras dans sa cuisine où elle est en train de nettoyer l'évier. Elle paraît stupéfaite de les voir.

— Comment ! Vous, mes petits ? Quelle surprise ! s'exclame la fermière tout en s'essuyant les mains. Rien de cassé, j'espère ? Où sont les filles ?

— Elle sont restées là-haut, explique François. Et tout va bien, ne vous inquiétez pas !

— Je parie que vous êtes descendus pour avoir un supplément de provisions ! avance la femme avec un sourire en coin.

— Non, non ! proteste Mick en riant. On a tout ce qu'il nous faut. On... on voudrait seulement parler à votre fils... Martin. On... on a quelque chose à lui dire... Quelque chose d'assez urgent...

— Vraiment ? demande la fermière, dont les yeux se mettent à briller de curiosité. Eh bien, je crois qu'il est dans la grange. Vous comptez passer la nuit ici ?... Non... En tout cas, je ne vous autoriserai pas à repartir avant d'avoir dîné !

— C'est d'accord, acceptent les deux frères en chœur.

Puis, ils partent à la recherche de Martin. Les trois chiens qui entourent ce dernier dans la grange s'élancent au-devant des jeunes arrivants mais, les ayant reconnus, se calment et commencent à bondir autour d'eux en jappant gaiement. Leur maître paraît sur le seuil pour connaître la cause de tant de bruit. Il semble lui aussi très surpris de voir Mick et François.

— Quelque chose qui ne va pas ? questionne-t-il sèchement.

— Euh, oui... On peut le dire ! admet Mick. On aimerait vous parler une minute...

Le jeune fermier les fait entrer dans la grange presque sombre. Tandis que ses deux visiteurs s'expliquent, il ratisse le sol.

— C'est au sujet du Vieux Château... commence l'aîné (Martin s'interrompt aussitôt, puis se remet à la tâche).

François lui expose toute l'affaire. Il lui parle des bruits étranges qu'ils ont entendus, de la brume dans le ciel, du « tremblement de terre ». Puis il en vient à l'histoire de la vieille dame prisonnière dans la tour et à la manière dont ils ont été prévenus, grâce à la petite Miette, qui a gardé un S.O.S. manuscrit lancé par la captive... Pour prouver qu'ils ne mentent pas, les garçons montrent à Martin le papier écrit par Mme Thomas.

Pour la première fois depuis le début du récit, le jeune colosse prend la parole.

— Voyons... que je le lise ! articule-t-il d'une voix rauque.

Mick lui passe le message. L'homme sort une lampe de poche sous le faisceau de laquelle il déchiffre les quelques lignes manuscrites. Puis il fourre la missive dans sa poche. Le geste surprend les deux frères.

— Vous... vous ne nous le rendez pas ? demande François. Vous voulez le garder pour le montrer à la police ? Vous savez ce que tout ça signifie ? Que faire ? Nous, on croit que...

— Je vais vous dire, moi, ce que vous devez faire ! l'interrompt Martin d'une voix sourde. Vous allez me laisser m'occuper de cette histoire tout seul. Vous n'êtes que des gamins. Vous n'y comprenez rien. Cette affaire ne vous concerne pas. Tenez-vous-en à l'écart. Vous allez retourner au chalet et vous oublierez tout ce que vous avez vu et tout ce que vous avez entendu. Et si Miette revient vous parler, envoyez-la ici. Je réglerai ça avec elle !

Sa voix est si dure, son attitude tellement résolue, que les garçons se figent.

— Mais, monsieur Martin, proteste l'aîné, il faut intervenir au plus vite... prévenir le commissariat...

— Je vous le répète, cette histoire ne vous regarde pas ! Vous allez filer en vitesse au chalet et vous ne soufflerez pas un mot de cette affaire. Et si vous ne m'obéissez pas, je vous renverrai dès demain chez vos parents.

Puis, le géant met son râteau sur l'épaule et sort à grandes enjambées, laissant les deux frères seuls.

— Si je m'attendais à ça ! fulmine François, très en colère. Viens, Mick, on remonte au chalet ! Tant pis pour le dîner à la ferme. Je n'ai pas envie d'avoir encore affaire à ce type !

Mécontents et désappointés, les garçons quittent la grange, négligeant même, tant leur indignation est grande, de prévenir Mme Gouras qu'ils ne seront pas ses hôtes ce soir. Le sentier de montagne est déjà noyé d'ombre et Mick fouille dans ses poches avec l'espoir d'y trouver sa lampe électrique.

— Zut ! bougonne-t-il alors, dépité. J'ai oublié d'emporter ma torche ! Tu as la tienne ?

Mais son frère n'a pas songé davantage à prendre la sienne. Comme il fait déjà très noir, les frères décident de revenir sur leurs pas.

— Je vais monter au premier étage, il y a une lampe de réserve dans la commode de notre chambre, décide François. J'espère que je ne rencontrerai pas Martin en chemin.

Il grimpe sur la pointe des pieds jusqu'à la pièce où il a couché le soir de l'arrivée à la ferme, et prend la lampe électrique dans le tiroir. Mais, en redescendant l'escalier, il tombe nez à nez avec Mme Gouras, qui pousse un petit cri.

— Ah ! Te voilà, mon petit François ! Qu'est-ce que tu as bien pu dire à Martin pour le mettre dans un tel état ? Je ne l'ai jamais vu aussi furieux. Il paraît vraiment fâché... Allons, attends un peu. Je vais préparer le dîner.

— Heu... c'est-à-dire... nous pensons qu'il vaut mieux remonter tout de suite au chalet. Vous comprenez, les filles sont toutes seules... Et il fait déjà presque nuit...

— Oh ! oui, oui, je comprends, approuve

aussitôt la fermière. Mais je vais tout de même vous donner du pain tout frais et du pâté.

Mick a rejoint son frère au bas de l'escalier de bois.

— Écoute... ! chuchote-t-il pendant que Mme Gouras fourrage dans la cuisine. On dirait que Martin appelle ses chiens !

— Il faudrait être sourd pour ne pas l'entendre, grommelle François. Quelle voix ! Et comme il a l'air en colère ! Ce type est certainement assez fort pour tenir tête à une douzaine d'hommes et à une meute de chiens enragés !

Déjà, la fermière revient, les bras chargés de provisions.

— Prenez ceci, mes petits, et allez vite rejoindre les filles. Au fond, il vaut peut-être mieux que vous ne rencontriez pas Martin ce soir... Il est vraiment très irrité.

Les frères, soulagés, commencent à gravir le sentier de montagne.

— Je n'arrive pas à comprendre pourquoi le fils Gouras a tant insisté pour qu'on se tienne à l'écart de l'affaire du Vieux Château... lâche Mick après un long moment de silence. Il ne nous a peut-être pas crus ?

— Oh si ! Il nous a crus, assure François. Tu veux savoir ce que j'en pense ? Eh bien, je crois qu'il en sait beaucoup plus long que nous sur toute cette intrigue. Selon moi, Martin est dans le coup ! Voilà pourquoi il veut nous imposer silence ! Voilà pourquoi il tient à ce qu'on ne se mêle de rien ! Il nous menaçait presque en nous ordonnant d'oublier tout ce qu'on avait vu et entendu ! À mon avis, ce type participe à une histoire étrange...

— Tu crois ? Quand je pense qu'on a été lui confier nos soupçons... On s'est jetés dans la gueule du loup !

— Sans compter qu'il a gardé le message de Mme Thomas. Voilà une preuve qui disparaît !

— Je comprends mieux son attitude ! Pas étonnant qu'il se soit fâché. Il s'est dit qu'on allait lui mettre des bâtons dans les roues. Et, bien entendu, la dernière chose qu'il voulait, c'était qu'on avertisse la police. Qu'est-ce qu'on va faire ?

— Je ne sais pas. On en discutera avec les filles.

Mick hoche la tête lentement. En fait, une idée fixe ne cesse de le tarauder :

— Écoute, François, déclare-t-il enfin. Il faut qu'on éclaircisse cette histoire au plus vite. J'ai l'impression qu'il s'agit d'une affaire très grave : il y a non seulement le fait qu'une vieille dame est séquestrée, mais aussi tous ces phénomènes inexplicables, les grondements souterrains, le tremblement de terre et cette brume étrange ! Et maintenant, la possibilité que Martin soit impliqué !

— Oui, mais on n'a pas le moindre indice sur ce qui se trame vraiment au Château...

Le silence tombe entre les deux frères. Ils cheminent un long moment, peinant sur le sentier qu'éclaire le rond jaune de leur lampe. Le trajet leur paraît interminable.

Enfin, ils aperçoivent les lumières du chalet. Ouf ! Ils sont arrivés. Maintenant, Mick et François ont faim et se réjouissent que Mme Gouras ait pensé à leur confier un supplément de provisions. Dagobert est le premier à deviner leur approche. Il aboie frénétiquement. Claude court ouvrir la porte.

— Vite ! Entrez ! s'écrie-t-elle, toute joyeuse.

— Je suis bien contente ! s'exclame Annie derrière elle. On pensait que vous aviez décidé de rester dormir à la ferme.

— Vous devez avoir des tas de choses à nous raconter, reprend sa cousine en débarrassant les deux arrivants de leur énorme panier de provisions. Qu'est-ce qui s'est passé ? Martin a prévenu la police ?

— Non, répond François d'un air sombre. Il s'est mis en colère. Il nous a ordonné de ne nous mêler de rien. Il nous a confisqué le morceau de papier sur lequel Mme Thomas avait griffonné son appel au secours ! On pense que, d'une manière ou d'une autre, il est de mèche avec les bandits qui séquestrent la vieille dame...

Claude ne se répand pas en lamentations inutiles. Tout de suite, elle élabore un plan d'action.

— Très bien, dit-elle calmement. Si c'est comme ça, on prendra nous-mêmes l'affaire en main. On recherchera des indices et je suis persuadée qu'on arrivera à délivrer la pauvre Mme Thomas. Hein, Dago ?

CHAPITRE 13

Qu'y a-t-il,
Dago ?

Les Cinq entament leur dîner. Tout en mangeant, ils discutent de la situation. Par où commencer l'enquête ? Et tout d'abord, comment pénétrer dans le château ? Il faut compter avec le molosse...

— Si seulement Miette pouvait nous aider ! soupire François à la fin du repas. Elle est notre seul espoir. Ça ne sert à rien de prévenir les gendarmes, Martin nous a pris la seule preuve qu'on avait à leur montrer...

— Ce qui m'étonne, intervient Mick, c'est que les habitants de la région n'aient rien fait de leur côté ! Je veux dire... à propos de ces vibrations et de cette brume lumineuse qui s'élève tous les soirs du Vieux Château...

— Tu sais, l'interrompt sa sœur avec bon

sens, ces phénomènes sont peut-être seulement perceptibles ici, sur la montagne. Rappelle-toi, la nuit où on a dormi en bas, à la ferme, on n'a rien vu ni entendu...

— Annie a raison, approuve François. Sur ces hauteurs, on est bien placés pour tout observer et tout entendre. Le berger, qui est encore plus haut perché que nous, a lui aussi perçu les bruits et le brouillard rougeâtre. Mais, à l'évidence, les gens qui vivent dans la vallée ne se sont rendu compte de rien. D'ailleurs, Mme Gouras n'y a jamais fait allusion...

— Ce qui rend le comportement de Martin encore plus suspect ! poursuit son frère. Il n'avait pas du tout l'air surpris quand on lui a parlé des tremblements de terre et de l'étrange lueur. Je suis de plus en plus persuadé qu'il est de mèche avec les bandits qui séquestrent Mme Thomas !

Le chien se met soudain à aboyer, ce qui fait sursauter les enfants.

— Il faut laisser Dago sortir, annonce François. Avec tout ce qui se passe ici, il vaut mieux qu'il explore le terrain autour du chalet. Il empêchera les rôdeurs d'approcher.

— D'accord ! concède Claude, l'air contrarié.

La jeune fille se lève et se dirige vers l'entrée. Elle a déjà la main sur la poignée quand elle entend aboyer dehors, juste devant la porte. Elle repousse le verrou d'un geste vif.

— Non ! Je ne veux pas que Dago sorte ! À tous les coups, c'est Martin et ses chiens.

En effet, le fils de Mme Gouras passe devant la fenêtre et les Cinq le voient courber la tête et le dos pour mieux affronter le vent tandis qu'il gravit la colline. Le fermier ignore les hôtes du chalet. Il ne jette même pas un coup d'œil à l'intérieur. En revanche, Black, Dick et Roc, les trois bergers allemands qui l'accompagnent, aboient furieusement en flairant la présence de Dagobert. Ce dernier leur répond sur le même ton. Puis le vacarme s'apaise. Martin a disparu, et ses chiens avec lui.

— Ouf ! Je suis bien content que tu n'aies pas lâché Dag comme je te le conseillais, Claude ! souffle François. Ces brutes l'auraient mis en pièces.

— Où Martin peut-il bien se rendre ? demande Annie, intriguée. Ce sentier ne mène qu'à la bergerie du père de Miette...

— Eh bien, à tous les coups, il va parler au berger, conclut Mick.

Puis il ajoute, comme frappé d'une pensée soudaine :

— Dites donc, et si le berger, lui aussi, faisait partie du complot ?

— Oh non ! s'offusque sa sœur. Pas lui ! Il avait l'air gentil...

Ses compagnons partagent son avis : à eux aussi, l'homme a paru sympathique.

— Mais si le père de Miette n'est pour rien dans l'affaire du Vieux Château, avance Claude, l'air sombre, comment expliquer que Martin monte le retrouver à une heure pareille ?

— Il veut peut-être le prévenir qu'on est du genre fouineur, suggère François sans grande conviction. Ou lui demander de nous tenir à l'œil...

— À moins qu'il ne veuille se plaindre de Miette et l'empêcher de remettre les pieds dans le jardin du Vieux Château ! s'écrie son frère. Oh ! j'espère qu'on n'a pas attiré d'ennuis à cette petite en confiant à Martin le morceau de papier qu'elle a trouvé !

À cette pensée, les quatre enquêteurs échangent des regards terrifiés. Enfin, Annie soupire :

— Mick, tu as sans doute vu juste ! Martin va parler au berger pour s'assurer que Miette soit privée de toute sortie ! Et tout ça par notre faute !

Les Cinq se sentent coupables de ce qui

risque d'arriver à leur nouvelle amie. Ils se sont pris d'une véritable affection pour elle. Cette enfant est tellement attachante, avec son toutou et son chevreau... Dire qu'elle va peut-être souffrir à cause d'eux !

Ce soir-là, personne n'a envie de jouer aux cartes. Les enfants préfèrent s'asseoir et bavarder. Ils se demandent s'ils entendront le fermier repasser devant le chalet. Ils comptent sur Dagobert pour leur signaler son éventuelle approche.

Il est environ huit heures et demie quand le chien se met à aboyer. Tous sursautent.

— Voilà Martin qui revient... murmure François.

Les enfants collent le nez au carreau pour tenter d'apercevoir la silhouette du jeune colosse, mais ils ne voient rien. Ils n'entendent pas non plus les habituels cris de Dick, Black et Roc. Claude constate alors que Dago s'est rassis sur son derrière. Ses oreilles sont dressées et il penche la tête de côté. Sa maîtresse est intriguée.

— Regardez, dit-elle en désignant l'animal. Il a flairé quelque chose, c'est sûr, et pourtant, il n'aboie pas. Il n'a pas l'air effrayé non plus. Alors, Dag, qu'est-ce qu'il y a ?

Mais son fidèle compagnon ne semble pas

l'entendre. Il reste assis, à écouter on ne sait quoi, la tête toujours inclinée. François, Mick, Claude et Annie, quant à eux, ont beau tendre l'oreille, ils ne perçoivent que... le silence !

Et puis, tout à coup, Dagobert fait un saut et se met à japper d'un air joyeux. Il bondit devant la porte, gémit, et gratte le sol avec sa patte. Puis il se retourne et aboie de nouveau, comme pour dire : « Vite ! Ouvrez cette porte ! »

— Eh bien ! s'exclame Annie, surprise. Qu'est-ce qu'il y a, mon vieux Dag ? C'est un copain à toi qui vient te voir ?... On devrait peut-être le laisser sortir ?

— Je vais jeter un coup d'œil dehors, décide Claude en tirant le verrou sans faire de bruit.

Le chien franchit le seuil d'un bond, aboyant et gémissant tour à tour. Sa maîtresse scrute les ténèbres alentour.

— Je ne vois personne, déclare-t-elle enfin. Je me demande pourquoi Dago a fait toute cette comédie. Tiens, je l'entends encore japper. Passe-moi la torche électrique, s'il te plaît, Mick.

La jeune fille, guidée par ces petits aboiements familiers, s'approche de la remise. Dagobert est bien là : de la patte, il racle un grand coffre de bois. Sa maîtresse ne comprend pas.

— Mais enfin, qu'est-ce qui te prend ? Il ne peut rien y avoir d'intéressant dans cette caisse. Tiens, je vais soulever le couvercle et tu constateras toi-même...

La jeune fille éclaire l'intérieur de la grosse boîte. Ce qu'elle aperçoit alors manque de lui faire lâcher sa lampe de poche. Quelqu'un est caché dedans ! Quelqu'un de tout petit et d'à moitié gelé : c'est Miette !

— Mais... qu'est-ce que tu fais là ? murmure Claude, qui n'en croit pas ses yeux.

La fille du berger a l'air très effrayé. Elle tient son chien et son biquet serrés contre elle et ne pipe mot. Elle tremble et de grosses larmes coulent le long de ses joues.

— Pauvre petite ! Viens vite au chalet te réchauffer.

Mais l'enfant secoue la tête et enlace un peu plus fort ses animaux. Claude n'a pas l'intention de la laisser dans le débarras, alors que la nuit s'annonce glaciale. Elle soulève Miette dans ses bras, chien et biquet compris. La fillette tente bien de se débattre, mais elle n'a pas assez de force.

La voix impatiente d'Annie se fait entendre dans l'obscurité :

— Claude ! Dago ! crie-t-elle. Où êtes-vous ? Vous avez trouvé quelque chose ?

— Oh, oui ! répond sa cousine en s'approchant du chalet. On a même trouvé *quelqu'un*... Une vraie surprise !

Elle transporte l'enfant frissonnante à l'intérieur. Les autres poussent des cris de stupéfaction.

— C'est Miette ! Elle est pâle et toute tremblante ! s'écrie François. Et Toto et Mignon n'ont pas l'air d'avoir bien chaud non plus !

— Je les ai dénichés tous trois dans le coffre de la remise, explique Claude. Je suppose que la petite a choisi cet endroit pour se mettre à l'abri du froid. Offrons-lui quelque chose à manger !

— Je vais lui préparer un bon chocolat, chaud et crémeux, déclare Annie. Et je vais sortir le pain et le fromage ! Il faudra penser aussi à laisser le reste de la pâtée de Dag au petit chien. Quant au chevreau... Qu'est-ce qu'on peut lui donner ?

— Du lait ? suggère Mick. J'espère qu'il pourra le laper tout seul. On n'a pas de biberon !

Pendant ce temps, dans les bras de sa jeune sauveuse qui la berce comme un bébé, Miette commence à se réchauffer. Les Cinq ont le cœur serré : pauvre petite ! Qu'est-ce qui a pu la pousser à cette longue marche dans l'obscurité ?

— Vous voulez mon avis ? demande finalement François en suivant des yeux Dag et Toto, qui jouent ensemble à travers la pièce. Je suis sûr que Miette a fui quand Martin a...

Au même instant, la fille du berger sursaute, l'air terrifié.

— Martin ! répète-t-elle en jetant des coups d'œil autour d'elle comme si elle avait peur de découvrir le fermier. Martin ! Non, non !...

— Calme-toi... tente de la rassurer François. On te protégera. Ce méchant homme ne t'attrapera pas, sois tranquille.

Puis, se tournant vers les autres :

— Vous voyez ! On avait deviné juste. Je parie que ce type a demandé au berger de punir Miette pour être entrée dans le Vieux Château. La petite a échappé à son père et a grimpé jusqu'ici pour se cacher. Je crois que Martin redoute que Miette ne nous donne de nouvelles indications au sujet de la vieille dame séquestrée. Heureusement, notre petite montagnarde est futée : elle s'est sauvée !

— Bien vu ! approuve Claude. Ce fichu fermier craint qu'elle ne nous fasse pénétrer dans la propriété de Mme Thomas !

Au même instant, Dago se met à aboyer,

d'une manière qui n'a rien de joyeux cette fois.
Annie bégaie, prise de panique :

— C'est... c'est Martin qui revient. Vite,
cachons Miette !

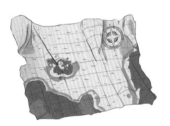

CHAPITRE 14

Une alerte

Dès que la fille du berger comprend que le fermier approche, elle échappe aux bras de Claude et se tient toute tremblante au milieu de la pièce, cherchant des yeux une cachette. On dirait une biche traquée. Soudain, par la porte entrouverte, elle avise les lits de la chambre voisine. Elle se précipite et, en un clin d'œil, grimpe sur la couchette supérieure où elle se blottit sous une couverture. Après quoi elle se fige dans une immobilité complète.

Surpris par la disparition de sa petite maîtresse, le chevreau se met à bêler. Et puis, tout à coup, il se précipite lui aussi dans la chambre et, d'un bond, saute auprès de Miette, contre laquelle il se fait tout petit. Toto, pour sa part, est bien incapable d'accomplir un pareil exploit.

133

Il se contente de gémir au bas des lits superposés.

— Zut, alors ! grommelle Mick. Il ne faudrait pas que ce chien attire l'attention de Martin ! Où est-ce qu'on va le cacher ?

François se baisse, attrape le petit animal et va le poser à côté de Miette.

— Voilà le seul endroit où il se tiendra tranquille, dit-il.

Et, en effet, pas un mot, pas un bêlement, pas un jappement ne provient de sous la couverture. Au même instant Dagobert se met à aboyer et court à la porte d'entrée.

— Il faut fermer le verrou ! annonce Claude en se précipitant elle aussi. Je n'ai pas envie que Martin entre ici avec sa meute. Il aura vite fait de découvrir la petite ! Je suis certaine qu'il la cherche. Il a dû apprendre qu'elle s'était sauvée : quand on l'a vu passer tout à l'heure, il allait justement rendre visite au berger ! Maintenant, il veut lui mettre la main dessus pour qu'elle ne raconte pas ce qu'elle sait ! Oui, c'est forcément ça ! En tout cas, il faut absolument empêcher les molosses d'entrer ! Écoutez un peu comme ils aboient.

La jeune fille, surexcitée, ferme le verrou d'un coup sec, puis elle ordonne :

— Maintenant, vite... asseyons-nous autour

de la table et faisons semblant de jouer aux tarots. Comme ça, en nous voyant, Martin pensera que tout est normal. Il ne se doutera pas que Miette est ici. Je parie qu'il va essayer d'inspecter l'intérieur du chalet sans qu'on le voie. Il va tenter de nous surprendre. Allez, François, distribue les cartes...

Les Cinq s'installent à la salle à manger. Les mains d'Annie tremblent un peu. Sa cousine la taquine.

— Courage ! Ce type ne va quand même pas nous manger ! Et maintenant, écoutez-moi... Je suis la seule qui puisse voir la fenêtre depuis ma place : si je dis brusquement « ça alors ! », vous saurez que j'ai aperçu Martin à travers le carreau. Vous vous mettrez à rire et vous continuerez à jouer comme si de rien n'était. Compris ?

Les enfants entament leur partie, mais leur cousine garde un œil sur la vitre. Au-dehors, les chiens ont cessé d'aboyer, pourtant Dagobert reste assis devant la porte, les oreilles dressées, comme si, lui, il entendait quelque chose.

— Atout ! s'écrie François en abattant une carte.

Le jeu se poursuit quelques instants, entrecoupé de toutes sortes d'exclamations. Soudain Claude lâche un tonitruant :

— Ça alors !

Aussitôt, chacun est sur le qui-vive. On continue à échanger des rois, des reines, des valets, mais sans prêter grande attention aux règles du jeu.

Grâce à de petits coups d'œil furtifs, la maîtresse de Dago observe la forme confuse d'un visage qui se presse contre la vitre... Pas de doute, c'est bien *Martin* !

— Ça alors ! répète la jeune fille pour indiquer à ses cousins que l'ennemi est toujours là.

Maintenant, la figure du fermier lui apparaît plus distinctement. L'homme s'imagine sans doute qu'on ne l'a pas vu. Il croit les enfants trop intéressés par leur jeu pour s'inquiéter de ce qui se passe autour d'eux. Ses yeux scrutent les moindres recoins de la pièce. Mais Annie a pensé à fermer la porte de la chambre où se cache Miette, et d'ailleurs, même si le battant était resté ouvert, il aurait été impossible d'apercevoir la fillette.

Brusquement, le visage de Martin disparaît de derrière le carreau.

— Il est parti, chuchote Claude à voix très basse. Mais continuons à jouer. Il va sûrement rester dans les parages.

Toc ! Toc !

— Oh... Le voilà ! murmure François.

Il quitte la table et se plante derrière la porte du chalet.

— Qui est là ? crie-t-il.

— Martin Gouras. Ouvrez-moi ! répond la voix sonore du fermier.

— Impossible ! réplique le jeune garçon, bien résolu à ne pas le laisser entrer. Nous avons notre chien avec nous et il est de très mauvaise humeur.

Le fermier agite la poignée de la porte, mais celle-ci est verrouillée de l'intérieur. Les Cinq entendent le visiteur bougonner.

— Désolé ! reprend François, mais on ne peut pas vous ouvrir. Notre chien serait capable de vous mordre. Il gronde et montre déjà les crocs. Et puis, il pourrait se battre avec vos bergers allemands !

— Aboie, Dag ! ordonne Claude tout bas. Aboie fort !

L'animal ne se le fait pas répéter et se déchaîne. Le fils de Mme Gouras comprend qu'il vaut mieux ne pas insister.

— Si vous voyez Miette, lance-t-il à travers la porte fermée, faites en sorte qu'elle rentre chez elle. Elle s'est échappée et ses parents se font beaucoup de souci. C'est pour la chercher que je me suis mis en route par une nuit aussi froide. Et rappelez-vous aussi ce que je vous ai dit dans la grange. Si vous ne vous tenez pas à carreau, vous le regretterez !

— On le regrettera ?... s'indigne Mick à voix basse. Non, mais ! Il se prend pour qui ? C'est lui et ses amis qui auront des regrets, quand on aura réuni assez de preuves pour les faire arrêter !

Annie, qui tremble encore un peu, se tourne vers le brave Dagobert.

— Est-ce que Martin est parti ?

Le chien s'éloigne de la porte et se couche tranquillement près de la table. Il pousse un bref aboiement comme pour dire : « Tout va bien à présent. »

— Martin et ses horribles bêtes ont dû redescendre tout droit à la ferme, conclut Mick, soulagé. On peut faire sortir la petite de sa cachette.

Le jeune garçon ouvre la porte de la chambre et appelle :

— Miette ! Martin est parti. Tout va bien. Descends vite. On va te servir quelque chose de chaud. On donnera du lait à ton chevreau, et de la viande à Toto.

La fille du berger dévore tout ce qu'on lui apporte. Enfin, quand elle est rassasiée, elle sourit à la ronde et déclare d'une façon tout à fait inattendue :

— Je vais vous dire comment on peut entrer dans la grande maison.

Tous la dévisagent, stupéfaits.

— Il y a un gros trou... commence-t-elle.

— Et où est-il, ce gros trou ? demande François.

— Là-haut... Et il descend profond...

Elle se met à discourir si vite que les Cinq ne comprennent pas un seul mot de ce qu'elle raconte.

— Voyons, intervient Mick quand elle se tait pour reprendre son souffle. Où est-il, ce gros trou ?

Miette le regarde d'un air de reproche.

— Je viens de vous l'expliquer ! se fâche-t-elle.

— Oui, je sais. Mais on n'a pas bien compris.

Miette paraît réfléchir, puis elle sourit.

— Je vais vous le montrer, décide-t-elle en se laissant glisser de son siège. Venez !

— Pas maintenant ! s'exclame Annie. Pas en pleine nuit, avec toute cette neige ! Non, Miette... demain... demain matin !

La petite fille jette un coup d'œil par la fenêtre et acquiesce :

— Oui, demain matin. Je vous montrerai le gros, gros trou demain matin.

— Eh bien, voilà que tout s'arrange ! se réjouit Claude.

Les enfants observent la jeune montagnarde qui est assise sur une couverture, devant la cheminée, entre son chien et son biquet.

— Heureusement qu'elle s'est cachée en entendant Martin arriver, chuchote Mick. S'il l'avait vue avec nous, je parie qu'il aurait démoli la porte pour la récupérer. Il est assez fort pour faire craquer le battant de haut en bas, d'un seul coup de poing !

Tout le monde se met à rire.

— Heureusement qu'on n'a pas eu à l'affronter ! conclut François, en réprimant un bâillement. Ouf ! Je suis épuisé... je vais me mettre au lit ! Je sens que demain sera une journée palpitante !

— J'espère que, d'une manière ou d'une autre, on réussira à libérer cette pauvre vieille dame prisonnière dans sa tour... soupire Annie. Miette, tu peux dormir dans la couchette, si tu veux. On va te donner des couvertures, une paire de draps et un traversin.

Quelques instants plus tard, le silence règne à l'intérieur du chalet.

CHAPITRE 15

Le « gros, gros trou »

Le lendemain matin, tout le monde se réveille de bonne heure. Les enfants ont bien dormi et se sentent pleins d'entrain en pensant à l'aventure qui les attend. Ils vont enfin pénétrer dans le Vieux Château et, sans doute, découvrir ses secrets.

— On ferait bien de se mettre en route le plus tôt possible, remarque Mick en jetant un coup d'œil par la fenêtre. La neige tombe très fort. Il ne faudrait pas qu'on se perde.

— C'est vrai, ça ! approuve son frère en fronçant les sourcils. Si Miette nous entraîne dans des endroits qu'on ne connaît pas et si la neige nous cache la vue, on aura du mal à se repérer.

— Je suggère qu'on emporte des sandwichs,

ajoute Claude. Ce sera plus prudent. Qui sait à quelle heure on reviendra ici ?

Une fois les casse-croûte préparés, la petite troupe fourre les provisions dans deux gros sacs.

— Je crois que le mieux sera de descendre notre colline en luge, estime François en regardant l'épaisse couche de neige au-dehors. La vitesse nous fera remonter presque jusqu'à mi-pente du côté du Vieux Château. Ça nous prendrait trop de temps d'y aller à pied. Et on ne peut pas se servir de skis... puisque Miette n'en a pas !

— Bonne idée ! approuve Annie. Je vote pour les luges ! Mais qu'est-ce qu'on va faire du chevreau ? L'abandonner ici ? Et Toto ?

La fille du berger ne laisse à personne le temps de répondre. Elle refuse de se séparer d'aucun de ses animaux. Elle les réunit tous deux dans ses bras, d'un air de bravade, et les Cinq sont bien obligés de lui accorder la permission de les emmener.

Enfin, on se met en route. La neige tombe toujours et l'on distingue à peine le paysage alentour, tout brouillé par les flocons tourbillonnants. François se demande avec anxiété s'ils pourront dévaler la colline sans s'écarter de la bonne direction.

Les luges sont très chargées. Les garçons ont pris place sur la première. Miette et son biquet se trouvent serrés entre eux. Le second traîneau est occupé par Claude et sa cousine, avec Toto et Dagobert au milieu. Annie, qui s'est installée derrière, doit maintenir les deux chiens tout en veillant à conserver son propre équilibre.

— Je parie qu'on ne va pas tarder à culbuter ! annonce-t-elle, pessimiste. On aurait dû attendre un peu que cette tempête se calme. On n'y voit rien !

— La neige nous protège, au contraire ! lui crie Mick. Comme ça, l'ennemi ne nous verra pas approcher. Attention, la pente s'accentue !

Jusque-là les deux luges n'ont avancé que grâce aux coups de talon donnés par leurs passagers sur le sol. Mais maintenant, elles commencent à filer toutes seules. Celle des garçons est la première à prendre de la vitesse. Miette se cramponne à François, mi-effrayée, mi-ravie. Quant au chevreau, comprimé entre ce dernier et sa petite maîtresse, il ouvre des yeux stupéfaits et ne songe même pas à se débattre.

Ffftttt !... Le traîneau file d'un trait jusqu'au bas de la colline et, emporté par son élan, commence à remonter le versant opposé. Puis il ralentit progressivement et finit par s'arrêter, rejoint deux secondes plus tard par celui des filles. Claude saute à terre et, pressée de retrouver ses cousins, tire la luge derrière elle.

— Alors, demande-t-elle. Qu'est-ce qu'on fait, maintenant ? Cette descente était géniale ! Vous ne pensez pas ?

— Et comment ! répond Mick. Dommage que ce soit déjà terminé. Tu as aimé ça, Miette ?

— Non, avoue la petite fille. Ça m'a gelé le nez. Il est tout froid.

François retire son écharpe et la noue autour du cou de l'enfant, veillant à lui recouvrir la moitié inférieure du visage.

— Bon, et maintenant, Miette, c'est à toi de jouer ! annonce-t-il. On n'est pas très loin du Vieux Château. Te rappelles-tu où se cache le gros trou dont tu nous as parlé ? Je sais qu'avec cette neige on ne voit pas grand-chose, mais...

À la grande stupéfaction des Cinq, la fillette répond instantanément à la question posée.

— Oui, affirme-t-elle. Je sais. Et Toto sait, lui aussi.

Sur ces mots, la petite se met en marche mais, au bout de quelques pas, elle ralentit. La neige est de plus en plus profonde et la jeune montagnarde a du mal à progresser.

— Installons-la sur une des luges, et tirons-la... suggère Mick. Espérons qu'elle sait où elle nous mène... Moi, je me sens déjà complètement perdu...

— Attendez ! J'ai emporté une carte de la région. Elle était posée sur la commode du chalet, déclare François en cherchant sous son anorak.

Il déplie le document, puis balaie le paysage du regard.

— Le pic enneigé qu'on voit là-bas se trouve au sud, de ce côté, explique-t-il en désignant un relief sur le carte. C'est la direction du Vieux Château. Le chalet, lui, se situe au nord par rapport à nous.

— Très bien, avec ces indications, on pourra s'assurer que Miette ne se trompe pas, chuchote Claude.

Elle prend la petite fille dans ses bras et l'assied sur la luge. Puis elle lui demande :

— Et maintenant, Miette, quel chemin faut-il suivre ?

Sans hésiter, la fille du berger pointe son doigt vers le sud. Les quatre autres se regardent, impressionnés.

— C'est en effet la bonne direction, la félicite François. Vas-y, Mick ! Tire la luge des filles. Je me charge de celle de notre jeune guide !

Au bout d'un moment, Miette s'écrie :

— Par là ! Par là ! en gesticulant vers la droite.

— Tiens, elle veut qu'on aille vers l'ouest maintenant ? s'interroge Claude à mi-voix. Je me demande si elle ne se trompe pas.

— Par là ! Par là ! répète l'enfant avec assurance tandis que Toto jappe comme pour confirmer cette nouvelle direction.

— Suivons ses consignes, conseille Annie. On verra bien ! Elle a l'air sûre d'elle !

La petite troupe déporte donc sa trajectoire légèrement vers la droite. On continue à monter au flanc de la colline, mais obliquement. Au bout d'un moment, l'aîné du groupe commence à souffler.

— C'est encore loin ? demande-t-il à Miette, qui caresse son chevreau sans cesser de regarder autour d'elle.

La fillette fait « non » de la tête, et François se remet en marche. Au bout d'une minute environ, la jeune passagère lui crie d'arrêter la luge et saute à terre. Elle paraît étudier le terrain, ce qui étonne beaucoup ses compagnons, vu l'épaisseur de la neige. Soudain, elle pousse un cri de triomphe.

— Ici, annonce-t-elle en désignant le sol. Le gros, gros trou est ici !

L'enfant se met à déblayer la neige avec ses

mains. Dag et Toto bondissent à côté d'elle pour l'aider. Sans doute pensent-ils qu'elle veut dégager un terrier de lapin.

— Ce n'est pas possible, chuchote Mick aux trois autres. Comment peut-elle deviner qu'il y a un « gros, gros trou » juste à cet endroit ?

Cependant, Dagobert, Toto et Miette ont fait du bon travail. Ils ont percé la couche de neige et ont atteint les touffes de bruyère qui couvrent habituellement la colline. On distingue très bien les tiges raides qui pointent au fond du trou.

— Attention ! crie soudain la fille du berger. Il faut tenir Dago ! Sinon Dago va dégringoler profond, profond !

— Eh bien ! murmure Claude. Après tout, on dirait bien qu'elle a trouvé quelque chose.

— Oui, confirme François, et si elle a peur que Dago, qui est pourtant un gros chien, tombe dans le trou, c'est sans doute qu'il s'agit d'un de ces vieux puits de mine abandonnés comme on en découvre parfois en montagne. Je ne vois pas d'autre explication. On en a déjà trouvé un jour sur l'île de Kernach, vous vous souvenez ?

— Oui ! s'écrie sa cousine. Cette cavité-là conduisait dans une caverne. C'est sans doute ça que Miette appelle un « gros, gros trou ».

— Voilà le trou ! affirme Miette tandis que les autres l'entourent et se penchent pour voir.

— Ça alors ! Tu as raison ! se réjouit Mick. Tu l'as bel et bien repéré. Seulement... tu es bien certaine qu'il communique avec l'intérieur du Vieux Château ?

La fillette ne répond pas. Elle reste immobile, à considérer l'entrée qu'elle a dégagée. Elle a ôté les deux planches de bois disposées en croix qui la condamnent sommairement, et que camouflent la bruyère et la neige.

— Waouh ! s'émerveille Annie. Tu es une vraie magicienne. Tu as autant de flair que Dag et Toto réunis. Bravo !

Un lumineux sourire éclaire le visage de Miette.

— On descend ? demande-t-elle. Je vais vous montrer le chemin !

— Euh... oui, si c'est possible, décide Claude après une légère hésitation.

La tentative semble assez téméraire, car on ne distingue rien à l'intérieur du vieux puits.

Mignon, le chevreau, s'impatiente soudain. Il en a assez d'attendre et désire se dégourdir les pattes. D'un bond léger, il s'avance au bord de l'orifice. Puis il réunit ses quatre minuscules sabots et, hop ! d'un bond, il disparaît à l'intérieur.

— Il a sauté ! s'écrie François, stupéfait. Incroyable !... Oh ! non... attends un peu,

Miette... Tu ne vas pas sauter aussi... tu vas te faire mal !

Mais la petite ne l'écoute pas. Avant que ses compagnons aient le temps de la retenir, elle attrape son petit chien, le serre contre elle et se laisse glisser dans la cavité. Elle disparaît à son tour.

Peu après, sa voix claire parvient du fond du puits :

— Je suis là ! Venez me rejoindre !

CHAPITRE 16

En suivant le souterrain

— Eh bien ! s'exclame Claude, sidérée. Vous avez vu ? Elle s'est laissée glisser d'un seul coup. C'est un miracle qu'elle ne se soit pas cassé une jambe. François, essaie d'éclairer le fond avec ta lampe.

Le garçon s'exécute.

— Ça a l'air profond, commente-t-il en plongeant son regard dans le puits. Détachons les cordes de nos luges et servons-nous-en pour descendre.

— Bonne idée ! s'écrie Mick. Je propose même qu'on dispose nos traîneaux en travers du trou et qu'on y attache les cordages. Ça nous donnera un point d'appui solide.

Tout en parlant, il place sa luge dans la position indiquée. Annie se hâte d'en faire autant avec l'autre.

— Et Dago ? s'inquiète Claude. Comment l'emmener avec nous ? S'il saute comme Mignon, il risque de se casser une patte. Il est lourd, vous savez...

— Je vais l'envelopper dans mon anorak, répond François, puis je l'attacherai au bout d'une corde. On le descendra en douceur. Allez, viens ici, Dago !

Mick passe d'abord et, lentement, glisse le long de la corde qu'il a attachée à sa luge. Trois mètres plus bas, il retrouve la petite Miette. Puis il attend que les autres abaissent les cordages portant Dagobert et réceptionne ce dernier dans ses bras. Claude et Annie les rejoignent, suivies de François. La fille du berger considère ses amis d'un air un peu dédaigneux. Elle ne comprend pas qu'ils aient utilisé des cordes. Le dernier arrivé se met à rire et lui tapote l'épaule.

— On n'est pas aussi agiles que toi, tu comprends, Miette ! Nous, on ne passe pas nos journées à gambader dans la montagne !... Enfin, nous voici tous au fond du « gros, gros trou ». Inspectons les lieux !

Il examine l'espace exigu à la lueur de sa lampe.

— Oui, on dirait que c'est bien un ancien puits de mine. Tiens, j'aperçois une sorte de petite grotte dans ce coin. Oh ! mais elle se prolonge par un tunnel ! Je me demande où il conduit...

— Où va Miette ? s'écrie Claude au même instant... Regardez-la ! Elle se faufile dans ce boyau avec son biquet. Et elle n'a pas de lampe pour s'éclairer. Décidément, cette gamine n'a peur de rien ! Suivons-la !

Et les Cinq empruntent le même chemin que leur jeune amie. Annie ne peut s'empêcher de jeter de temps à autre un coup d'œil perplexe aux parois de roc et au plafond au-dessus duquel elle se représente la double couche de bruyère et de neige. C'est vraiment étrange de cheminer ainsi, sous terre !

Cependant, Miette semble avoir disparu. François a beau projeter le faisceau de sa lampe en avant, il n'aperçoit nulle part la petite fille. Il appelle :

— Miette ! Reviens !

Aucune réponse ne lui parvient.

— Ne t'en fais pas, le rassure Mick. Ce couloir est sans doute la seule voie d'accès au château et Miette sait qu'on est derrière elle.

Le tunnel continue à s'enfoncer plus bas. Si les parois et le plafond sont de roc, le sol, en revanche, est couvert de cailloux qui rendent la marche difficile.

— Je comprends mieux comment Miette a réussi à pénétrer dans cette propriété si bien gardée, déclare François.

— Oui, renchérit Claude, ce souterrain doit passer sous la clôture électrique, puis sous le jardin, et déboucher quelque part dans les caves de la vieille demeure... Je voudrais quand même bien savoir où est partie la petite !

Soudain, Miette apparaît dans le rayon lumineux de la torche électrique que l'aîné des Cinq tient à la main. Elle attend ses amis à un tournant du couloir, encadrée de Mignon et de Toto. Elle pointe l'index vers le plafond du tunnel :

— Un passage pour aller dans le jardin, indique-t-elle. Un petit trou... juste assez gros pour Miette ! Pas pour vous !

François lève sa lampe. Il aperçoit alors un orifice, en partie obstrué par des herbes folles et des arbustes secs. En effet, ce doit être là un moyen d'accès au jardin. La jeune montagnarde a dû l'utiliser à plusieurs reprises : c'est ainsi qu'elle a pu apercevoir Mme Thomas à la fenêtre de la tour et recueillir son message.

— Par ici ! ordonne la fillette.

Elle s'est remise en marche et conduit à présent la petite troupe le long du couloir qui s'enfonce encore dans le sol.

— Je parie qu'on est maintenant sous la maison, chuchote Annie. Je me demande si...

Elle s'interrompt. Le passage débouche dans de vieilles caves, presque en ruine. Miette fait passer ses compagnons par la brèche d'un mur à moitié écroulé et les introduit fièrement dans une autre caverne, en meilleur état. Celle-ci a sans doute autrefois servi de cellier, car on y voit traîner quelques bouteilles vides. D'autres caves suivent encore.

— Mais il y en a des douzaines !... s'exclame Claude. Hé ! dites donc ! Qu'est-ce que c'est que ça ?

Elle s'est arrêtée devant un mur presque entièrement démoli. Mais, cette fois-ci, ce n'est pas l'usure du temps qui l'a détruit. Non ! La paroi a été abattue de main d'homme, comme en témoigne la cassure nette des briques et des pierres. Au-delà de la muraille effondrée, on aperçoit une nouvelle cave au plafond bas.

— Eh ! Ce n'est pas une cave ! murmure Annie en écarquillant les yeux. Regardez ! C'est une grotte naturelle, partiellement aménagée...

C'est alors qu'un bruit curieux frappe les oreilles des enfants... un bruit d'eau... comme si une grosse source jaillissait et chantait non loin de là ! Déjà, Mick commence à enjamber les débris du mur pour pénétrer dans la grotte quand Miette pousse un cri d'effroi :

— Non, non ! Pas par là ! Il y a des méchants par là !

Mais le garçon ne paraît même pas l'entendre. Stupéfait, il contemple le spectacle qu'il vient de découvrir.

— Si... si je pouvais m'attendre à ça ! balbutie-t-il enfin. Une rivière souterraine ! Une vraie rivière ! Elle coule sous la montagne, alimentée sans doute par un tas de ruisseaux. Et je parie qu'elle va tout droit se jeter dans le lac qui est près d'ici !

— Méchants ! répète la fille du berger, visiblement très effrayée, en tirant en arrière François et Claude qui ont rejoint Mick. Bang-bang !... des grands feux... beaucoup de bruit. Venez vite dans la maison !

— Comment ça « bang-bang » ? demande Mick, d'un air très alarmé. Qu'est-ce que des « méchants » peuvent bien faire ici ? Il faut à tout prix qu'on tire ça au clair !

— Il vaut peut-être mieux qu'on poursuive notre route pour l'instant, conseille Annie. Après tout, on est venus pour essayer de délivrer la vieille dame.

— Je ne comprends vraiment rien à ce qui se trafique dans ce château ! conclut Claude. Mais une chose est sûre, tout ça m'a l'air très inquiétant...

Les Cinq se décident enfin à suivre Miette. Dago trotte sur les talons de sa maîtresse. Il ne s'amuse pas beaucoup et se demande ce qu'on est venu faire là... La jeune guide, d'un pas sûr, continue à conduire ses amis à travers un dédale de caves.

Le groupe arrive enfin à un sous-sol cimenté qui sert de débarras et Miette recommande le silence. Retenant leur souffle, ses compagnons montent derrière elle une volée de marches de pierre qui mènent à une grande porte. Celle-ci est entrebâillée.

La fille du berger s'arrête en haut de l'escalier et prête l'oreille. Mick se rappelle le « gardien » du Vieux Château et se demande s'il ne serait pas dans les parages avec son chien féroce. Il chuchote :

— Il ne faudrait pas qu'on tombe nez à nez avec le molosse...

— Non. Le gros chien est dans le jardin... répond la petite fille. Tout le temps, le jour, la nuit...

Les Cinq respirent, soulagés.

— Je vais trouver le monsieur, poursuit Miette.

Et faisant signe aux autres de l'attendre, elle se glisse dans la maison.

— Quoi ? s'étonne Claude. Elle va essayer de deviner où se tient le gardien ? Cette gamine n'a peur de rien !... Oh ! la voilà qui revient déjà...

La fillette s'approche de ses amis. Un sourire malicieux éclaire son visage.

— Il dort, annonce-t-elle.

— Bon, dit François. Il faut en profiter pour agir. Miette, il faut que tu nous conduises vite à la vieille dame. Tu es bien sûre qu'il n'y a personne d'autre dans la maison ?

— Si ! Un homme pour garder... Il est là ! explique-t-elle en désignant du doigt la porte d'une pièce voisine. Il surveille la dame, et le chien surveille le jardin. Les autres hommes ne viennent jamais ici.

Les jeunes enquêteurs frissonnent à la pensée du gardien si proche.

Soudain, la fille du berger se remet en marche. Tous la suivent. Elle les conduit dans un grand hall où un escalier à double révolution aboutit à un immense palier.

Le chevreau se met à gambader et Toto, le

petit chien, aboie joyeusement. Tous deux ont sans doute envie de jouer.

— Chut ! soufflent en chœur les Cinq.

Mais Miette, elle, se contente de rire. Elle paraît tout à fait à son aise dans la maison et ne semble pas avoir conscience du moindre danger. Mick se demande combien de fois la petite fille est déjà venue au Vieux Château.

Les quatre explorateurs suivent leur guide aux allures de lutin en direction de l'escalier. La fillette ne s'arrête pas au premier étage, mais continue jusqu'au second. Là, les enfants découvrent une galerie de tableaux : des portraits de famille, sans doute. Un escalier en colimaçon s'amorce tout au fond. Miette le désigne du doigt, mais refuse d'avancer davantage.

— Qu'est-ce qu'il y a ? demande Annie, inquiète. Pourquoi tu ne veux pas venir avec nous ?

— J'ai peur, avoue la petite fille en frissonnant. Je sais que la vieille dame est par là. Mais je n'y suis jamais allée. Jamais, jamais ! Je n'aime pas tous ces gens qui la regardent !

Et elle montre les portraits des fiers chevaliers et des belles dames qui ornent la galerie. Claude se met à rire.

— Ce sont ces tableaux qui l'effraient ! explique-t-elle. Il faut dire que ces nobles seigneurs ont un regard presque vivant ! On dirait qu'ils vous suivent des yeux. Elle est drôle, notre petite Miette ! Elle semble ignorer les dangers réels et tremble devant des peintures.

Les Cinq laissent leur jeune amie blottie derrière une tenture, en compagnie de Mignon et de Toto. Ils longent l'immense couloir et commencent à monter l'escalier.

Bientôt ils débouchent dans un corridor qui semble interminable. Il s'étend sur toute la longueur du château et, vraisemblablement, relie entre elles les deux tours dressées de part et d'autre de la bâtisse. Reste à déterminer dans lequel de ces donjons Mme Thomas est retenue prisonnière.

Mais ce n'est pas bien difficile à deviner. Alors que l'une des portes d'entrée est grande ouverte, l'autre est fermée.

— Ce doit donc être celle-ci ! conclut Mick.

Il s'approche du battant et le heurte du poing, mais pas trop fort.

— Qui est là ? chevrote une voix faible. C'est vous, Marcel ? Vous n'avez pas d'aussi bonnes manières d'habitude !... Allons, déverrouillez cette porte une bonne fois pour toutes !

Mais déjà Claude a tiré le verrou et entrouvert la lourde porte.

CHAPITRE 17

En pleine aventure

Les enfants aperçoivent alors une vieille dame à l'air distingué assise dans un fauteuil, près de la fenêtre. Elle tient un livre à la main. Au son du verrou, elle ne tourne même pas la tête.

— Pour quelle raison venez-vous me voir de si bon matin, Marcel ? demande-t-elle. Ce n'est pas votre heure habituelle. Et qu'est-ce qui vous a pris de frapper à la porte ? Vous rappelleriez-vous soudain vos bonnes manières ?

— Ce... ce n'est pas Marcel ! bégaie François, un peu intimidé. C'est nous... heu !... Nous sommes venus pour vous délivrer !

Cette fois-ci la vieille dame se retourne vivement et demeure bouche bée. Puis elle se lève et se dirige vers les jeunes aventuriers, d'un pas chancelant. Elle s'appuie sur une canne.

— Qui êtes-vous ? s'écrie-t-elle. Laissez-moi partir avant que mon geôlier arrive ! Vite, vite !

Elle pousse les enfants et le chien d'un geste de la main et s'échappe dans le couloir. Là, elle paraît vaciller sur place.

— Que vais-je faire ? Où vais-je aller ? Ces hommes sont-ils encore ici ?

Elle fait demi-tour, comme si elle s'était ravisée soudain et, presque en titubant, regagne son fauteuil où elle se laisse tomber. Puis elle enfouit son visage dans ses mains.

— Je me sens faible, halète-t-elle. Donnez-moi à boire.

Annie court à la table où se trouve une carafe et emplit un gobelet d'eau. La femme prend le verre d'une main tremblante et boit d'un trait. Ses yeux égarés se portent sur Claude.

— Qui êtes-vous ? répète-t-elle. Que signifie tout cela ? Où est Marcel ? Oh ! il me semble que je perds la tête !

— Calmez-vous, recommande François d'une voix douce. Vous êtes Mme Thomas, n'est-ce pas ? C'est Miette, la fille du berger, qui nous a conduits ici. Elle savait que vous étiez prisonnière. Sa maman a travaillé pour vous autrefois, vous vous en souvenez... ?

— Marguerite ?... oui, oui... je me la rappelle

fort bien. C'était une très bonne employée. Mais qu'est-ce que Miette vient faire dans tout cela ? Je ne vous crois pas. Il s'agit d'un piège. Où sont les hommes qui ont enlevé mon neveu ?

Les enfants se regardent. Ils se demandent si la pauvre femme est dans son état normal... Soudain, Mme Thomas paraît retrouver ses esprits et son débit se précipite :

— Oui, oui, explique-t-elle. Au début, ces hommes se disaient les amis de Nicolas, mon neveu. C'est lui qui les a amenés ici. Ils disaient vouloir m'acheter le Vieux Château. Mais j'ai refusé de le leur vendre. C'est ma maison de famille, vous savez... Alors, ils ont insisté, insisté... Je ne comprenais pas bien pourquoi... Et puis, un jour, j'ai surpris une conversation. Ils disaient que dans la montagne, juste sous cette maison, il existait des gisements précieux. Il s'agissait d'un matériau rare... radioactif... Un métal qui représentait une fortune !

Cette fois, ce sont des regards d'effroi qu'échangent les aventuriers. Ils ne croient plus que Mme Thomas a perdu l'esprit. Au contraire, ce qu'elle raconte éclaire bien des choses. La pauvre femme hoche la tête, jette un coup d'œil désolé sur François, Mick, Claude et Annie et soupire :

163

— Je me demande pourquoi je vous explique tout cela... Vous n'êtes que des enfants... Pourtant, il faut bien que je me confie à quelqu'un... Ce qui se passe ici est très grave.

— Donc, vous avez refusé de vendre le château... répète François pour l'encourager à poursuivre.

— Oui. Je ne voulais pas permettre à ces hommes de s'approprier le métal en question. Car savez-vous ce qu'ils projetaient d'en faire ? Des bombes qu'ils auraient vendues à je ne sais plus quel pays ! Des bombes destinées à tuer des gens ! Je leur ai dit que cela était intolérable et ils ont su ainsi que j'avais entendu leur conversation. Alors, ils ont jugé que je risquais de les dénoncer à la police et m'ont enfermée dans cette chambre. Et puis, comme je refusais toujours de leur laisser mon château, ils ont enlevé mon neveu...

Frappés de stupeur, les Cinq écoutent Mme Thomas sans mot dire. Ils se rendent bien compte qu'elle dit la vérité. La vieille femme passe une main lasse sur son front et achève ses confidences.

— Mon neveu leur sert d'otage, vous comprenez. Ils m'ont prévenue qu'ils ne le relâcheraient que lorsque je leur aurais cédé ma maison. Mais je ne peux pas ! Si j'acceptais, je

me rendrais complice de ces assassins ! Oh...
Pauvre Nicolas ! Je préfère encore le savoir prisonnier comme moi que de consentir à livrer
ce métal à ces hommes... Un métal qui peut
faire tant de mal !... Hélas ! en attendant que je
me décide, ces bandits se sont déjà mis au travail. Ils sont en train de creuser le sous-sol. Oui,
oui, je les entends... j'entends toutes sortes de
bruits. Je sens parfois aussi ma maison trembler. Et j'ai aperçu d'étranges choses...

Elle s'interrompt, comme absorbée dans ses
pensées. Tout à coup, ses yeux se fixent sur
Annie.

— Mais voyons, je parle, je parle... qui êtes-
vous ? Et où est passé Marcel, mon gardien ?

La fillette explique à la prisonnière comment
ils ont été amenés à venir à son secours. Un
peu calmée, Mme Thomas paraît les croire cette
fois et une lueur d'espoir passe dans son regard.
Puis elle a un geste découragé.

— Mais voyons ! se désole-t-elle. Il m'est
impossible de repartir avec vous. Comment
ferais-je ? Je ne suis pas jeune et mince, moi !
Je ne pourrais jamais passer par le souterrain.
J'ai déjà de la difficulté à me déplacer, à cause
de mes rhumatismes... Et mon geôlier peut arriver d'une minute à l'autre maintenant !

Les enfants se sentent saisis de panique. Ils

se rendent compte qu'ils ne peuvent pas faire grand-chose et qu'il n'ont pas beaucoup de temps pour réfléchir. Claude prend une décision.

— Écoutez, explique-t-elle à Mme Thomas. Ne parlez à personne de notre visite. Nous allons prévenir la police. Il n'y a rien d'autre à faire, je crois. On est obligés de vous enfermer à nouveau, pour ne pas trahir notre passage, mais faites-nous confiance, on va vous sortir de là !

Elle pousse les trois autres dans le couloir, referme la porte à clef, et entraîne ses compagnons dans l'escalier.

— Vous avez entendu ? leur dit-elle tout en dévalant les marches. Tout est clair, maintenant.

— Oui, répond Mick. Et je comprends que la boussole du berger se dérègle chaque fois qu'il vient par ici. Ce métal radioactif doit émettre un champ magnétique très puissant...

— Il faut avertir la police au plus tôt, déclare Claude. Et tant pis pour Martin !

— On discutera de tout ça plus tard, intervient François. Pour l'instant, on doit se dépêcher de sortir d'ici.

Les quatre jeunes enquêteurs retrouvent Miette, qui les attend et leur sourit. La petite fille ne paraît pas étonnée de voir qu'ils reviennent sans la prisonnière. Elle ne leur pose aucune question et se contente de signaler en riant :

— L'homme en bas est très fâché ! Il est réveillé maintenant. Il crie et il fait bang !

— Pourvu qu'il ne nous voie pas ! murmure Annie, effrayée. Espérons surtout qu'il ne lâchera pas son chien sur nous !

Ils descendent au rez-de-chaussée aussi vite qu'ils le peuvent sans faire de bruit. Ils ne voient personne, mais entendent un vacarme terrible de cris et de coups sourds.

— J'ai enfermé le monsieur, explique Miette d'un air paisible en indiquant la pièce voisine de la cuisine. Lui, il a emprisonné la vieille dame. Moi, j'ai emprisonné le monsieur.

Voilà pourquoi Marcel n'est pas apparu ! Et voilà ce qu'a voulu dire Miette un instant plus tôt en disant que le gardien criait et « faisait bang ».

Les Cinq se sentent soulagés.

— Tu l'as vraiment bouclé ! s'écrie François ravi. Quelle bonne idée !

Il s'approche de la porte ; à l'intérieur, on entend le bandit tempêter. Soudain, le jeune garçon se tourne vers ses compagnons, l'air dévasté.

— Oh ! Je viens de me rendre compte que

le geste de Miette nous trahit ! Le fait qu'elle ait enfermé cet homme dénonce notre venue...

Hélas ! il est trop tard pour revenir en arrière. L'individu, cependant, a entendu les enfants discuter dans le hall. Il interrompt son raffut pour demander :

— Qui est là ? Qui m'a emprisonné ? Ouvrez-moi tout de suite !

Mick approche sa bouche de la serrure : il a décidé d'impressionner le bandit en lui disant la vérité.

— Marcel ! crie-t-il en prenant une voix grave. Nous sommes venus au secours de Mme Thomas. Ne lui faites pas de mal, car la police sera bientôt ici. Et assurez-vous aussi qu'aucun des malfaiteurs qui travaillent sous terre ne maltraite le pauvre Nicolas, que vous retenez en otage ! Sinon, vous passerez le reste de vos jours derrière les barreaux !

De l'autre côté de la porte, il y a un silence, puis le geôlier répond :

— Vous êtes fou ! Les policiers ne peuvent rien contre nous. S'ils viennent par ici, c'est M. Nicolas lui-même qui leur répondra. Le neveu de madame, prisonnier ? Vous voulez rire !

Les enfants se regardent, interloqués. Qu'est-ce que cela signifie ?

— Vous voulez dire que Nicolas n'est pas séquestré ? demande Mick. Mais dans ce cas, pourquoi avez-vous dit à Mme Thomas qu'il était captif lui aussi ?

Très énervé, Marcel oublie d'être prudent :

— C'est M. Nicolas lui-même qui nous a ordonné de mentir à sa tante. C'est lui, surtout, qui tient à ce que le château soit vendu ! Pour avoir accès à je ne sais quel métal dont il nous a parlé.

Soudain, il se rend compte qu'il en a trop dit et il recommence à donner des coups de pied furieux dans la porte.

— Qui êtes-vous ? Laissez-moi sortir, à la fin ! Si M. Nicolas me trouve enfermé ici, il est capable de vous tuer. Laissez-moi sortir ! Laissez-moi sortir !

— Dépêchons-nous de partir... presse Annie. Ces hommes sont dangereux.

Le groupe reprend le chemin des caves.

Comme ils atteignent le mur abattu par les bandits, Claude déclare :

— À mon avis, ce passage conduit directement à la rivière. Le gisement radioactif doit se trouver tout près d'ici.

Comme elle fait mine de jeter un coup d'œil de l'autre côté du mur, Miette la tire par la manche.

— Vite ! Méchants hommes là-bas !

C'est alors qu'un incident imprévisible se produit. Le chevreau, qui gambadait en tête de la petite troupe, saute par-dessus les éboulis du mur et disparaît du côté de la rivière.

— Oh, non ! Mignon ! Mignon ! s'égosille Miette, éperdue.

Mais sa voix est assourdie par le bruit du courant tout proche, et le biquet ne l'entend même pas. Sans hésiter, sa maîtresse, oubliant sa peur, s'élance à sa poursuite.

— Reviens, Miette ! hurle François à son tour.

La fillette ne paraît pas se soucier de l'appel et s'évanouit dans l'ombre de la grotte.

— Elle n'a même pas de lampe ! gémit Annie, épouvantée. Dago ! Va la chercher ! Ramène-la ici !

Le chien comprend et obéit aussitôt. Il traverse la caverne, qui se prolonge par une sorte de tunnel, et se met à courir le long de la bande rocheuse qui borde la rivière souterraine. Celle-ci coule en pente douce, en direction du lac.

Les quatre enfants attendent un moment en silence. Miette ne revient pas. Claude commence à s'affoler aussi pour Dagobert.

— Oh ! Ils ont disparu... Miette, Mignon et Dago ! Et Toto aussi, qui les a suivis !

— Ne t'inquiète pas, tente de la rassurer François. Miette est tout à fait capable de se diriger dans l'obscurité... et les chiens aussi. Ils vont tous revenir d'ici quelques minutes.

Mais le temps passe et les Cinq ne voient toujours rien arriver. Claude ne tient plus. Allumant sa propre lampe de poche, elle se met en route le long du passage rocheux.

— Je vais les chercher ! annonce-t-elle à ses compagnons.

Et elle s'éclipse à son tour avant que ses cousins aient eu le temps de prononcer le moindre mot.

— Venez ! Il faut la suivre ! décide brusquement François en entraînant son frère et sa sœur. Claude ne reviendra pas tant qu'elle n'aura pas retrouvé Dagobert et les autres. Dépêchons-nous d'aller l'aider avant que quelque chose de terrible n'arrive...

À contrecœur, Annie s'élance à la suite des garçons. Elle sent son cœur battre à grands coups dans sa poitrine. Ses vacances à la montagne sont en train de se transformer en véritable cauchemar !

CHAPITRE 18

Au coeur du mystère

François, Mick et Annie ont réussi à rejoindre Claude, et tous quatre progressent à présent le long de la bande rocheuse, en bordure de la rivière. Heureusement, les lampes électriques des jeunes aventuriers sont munies de piles neuves et ils y voient bien. Mais par endroits, le chemin se rétrécit et il faut faire très attention à ne pas glisser.

— Mes bottes sont tellement mouillées que j'ai peur de déraper ! se plaint la benjamine du groupe. Et cette rivière fait un tel vacarme ! Ça me donne mal à la tête...

— C'est une chance, si on y pense : tout ce bruit étouffe le son de nos pas. C'est à peine si on s'entend, même en parlant très fort.

En tête de la petite file, Claude avance, très

ennuyée de constater que Dago ne répond pas à ses appels. Elle n'ose pas crier trop fort et se rend compte que sa voix ne porte pas assez loin pour être entendue par le chien.

Soudain, la rivière s'élargit tellement qu'elle forme comme un vaste lac souterrain. Les eaux, de plus en plus agitées, s'engouffrent un peu plus loin dans un nouveau tunnel avec une violence accrue.

Entre les deux boyaux, l'espace où s'étend le bassin souterrain constitue une vaste grotte, sans doute creusée par l'eau au fil des siècles. À peine Claude y est-elle entrée qu'elle pousse une exclamation : deux radeaux, très grands et d'aspect solide, sont amarrés côte à côte sur les bords du lac. Et, sur la rive rocheuse, se trouvent entassés ce qui semble être des fûts métalliques, tout prêts à être embarqués sur les bateaux de fortune.

Dans un coin de la grotte sont empilées des boîtes de conserve, les unes pleines, les autres vides, et des caisses de bouteilles de bière. La maîtresse de Dagobert songe que toutes ces provisions ont dû être apportées par ces fameux camions mystérieux que l'on a vus entrer au Vieux Château la nuit. Ils ne servaient pas à déménager les biens de Mme Thomas, mais à ravitailler les hommes qui recherchent sous terre le métal radioactif !

Mais, pour l'instant, Claude a bien autre chose en tête. Elle veut à tout prix retrouver son chien. La caverne est éclairée par des ampoules électriques, alimentées sans doute par une batterie. La jeune fille et ses compagnons se détendent un peu lorsqu'ils constatent que l'endroit est désert.

— Dag ! Où es-tu ?

Presque tout de suite, à la grande joie de sa jeune maîtresse, Dagobert sort de derrière une caisse et vient à elle en remuant la queue. Claude est tellement contente qu'elle tombe à genoux et presse l'animal contre elle.

— Vilain toutou ! s'émeut-elle en le cajolant. Pourquoi tu n'es pas revenu quand je t'ai appelé ? Tu as retrouvé les autres ? Où est Miette ?

Un petit visage se montre au-dessus de la caisse : c'est la fille du berger. Elle a l'air effrayée et de grosses larmes coulent sur ses joues. Elle sort de sa cachette, tenant Mignon dans ses bras. Toto la suit de près. La fillette crie quelque chose en désignant le tunnel d'où les Cinq viennent de déboucher.

— Ne t'en fais pas, lance Claude, devinant l'inquiétude de la petite montagnarde. Nous repartons tout de suite. Aucun de nous n'a envie de traîner par ici !

François sourit à Miette et cette dernière court se jeter dans ses bras, sans pour autant lâcher son chevreau. Elle est soulagée d'avoir retrouvé ses amis.

— Je comprends bien des choses, maintenant ! déclare Mick en regardant autour de lui. Ces gens-là ne sont pas des imbéciles. Ils extraient le minerai précieux dans le souterrain. Puis ils le stockent dans ces fûts métalliques qu'ils empilent sur les radeaux... et la rivière emporte le tout jusqu'au lac de la vallée. Là, je parie que les bandits ont camouflé des bateaux qui leur servent à transporter de nuit la marchandise.

— Ingénieux système... reconnaît François. Et les bruits sourds et les tremblements de terre sont provoqués par le forage... Voilà qui explique tous ces phénomènes mystérieux qui nous ont tellement intrigués !

Claude, cependant, tend l'oreille.

— En ce moment, constate-t-elle, on n'entend rien du tout... Rien que les flots de la rivière. Les hommes ne sont peut-être pas au travail ?

— Je crois que... commence François.

Et puis il s'interrompt, car Dag et Toto se

mettent tous deux à gronder. L'aîné des Cinq entraîne aussitôt Miette derrière une énorme caisse. Mick, Claude et Annie les y suivent. Tous écoutent attentivement. Qu'est-ce que les deux chiens ont bien pu entendre ?

Dagobert continue à grogner. Le cœur des jeunes aventuriers bat de plus en plus vite : cette fois, ils perçoivent des voix. Qui vient de leur côté ? Claude fait taire Dago.

Les voix semblent venir du second boyau, celui qui descend en direction du lac de la vallée. Mick risque un coup d'œil par-dessus le coffre en bois. Soudain, il pousse une exclamation étouffée :

— Oh ! Regardez !

François observe à son tour et manque de s'écrier lui aussi... Deux hommes viennent de déboucher du tunnel... et l'un d'eux n'est autre que Martin !

— J'en étais sûr ! murmure le garçon. Mais qui est l'autre type ?... C'est le berger ! On avait deviné juste : il est complice, lui aussi !

Miette a également reconnu le fermier et son père. Cependant, elle se retient de se précipiter vers ce dernier : elle a bien trop peur de Martin !

Les deux hommes se rapprochent de la région de la caverne où se cachent les enfants et scrutent autour d'eux, comme s'ils cherchaient quelqu'un. Puis ils se dirigent vers un couloir qui s'ouvre dans un coin de la grotte et que les jeunes fugitifs n'ont pas encore aperçu. Ce nouveau passage semble s'enfoncer droit dans les entrailles de la terre. Juste comme Martin et le berger s'y engagent, un grondement sourd paraît en sortir.

— Écoutez ! chuchote Claude. Voilà que ce bruit recommence...

Ses compagnons comprennent à peine ce qu'elle dit tant le vrombissement s'intensifie. Puis le « tremblement de terre » commence. Toute la caverne se met à vibrer.

— J'ai l'impression d'être parcouru par un courant électrique, hoquette Mick.

— Suivons les deux hommes, propose François. On n'a qu'à avancer en restant dans l'ombre. Ils ne nous verront pas !

— Toi, Miette, tu ferais mieux de rester ici ! suggère Annie à la petite fille. Le bruit risquerait d'effrayer Toto et Mignon.

L'enfant approuve de la tête. Elle se blottit derrière la caisse avec son biquet et le chien.

— J'attendrai, assure-t-elle.

Les Cinq se lancent sur les traces de Martin et du berger. Ils s'engouffrent à leur tour dans le passage étroit. Une vague clarté illumine celui-ci, sans qu'on puisse en déterminer la source.

— Ce doit être le reflet d'un feu de forge, avance François en criant presque pour arriver à se faire entendre.

Au bout d'un moment, le couloir rocheux s'élargit ; le bruit augmente encore, et le rougeoiement qui éclaire les parois et la voûte du couloir se fait plus vif. Et soudain, les enfants aperçoivent l'extrémité du passage... où brille une lumière blanche et aveuglante.

— Nous voici arrivés à la mine. C'est sûrement là que les bandits travaillent pour extraire le minerai contenant le métal radioactif, affirme Mick, tremblant d'excitation. Faisons bien attention. Il ne faut pas qu'on nous voie.

Les quatre aventuriers avancent encore de quelques pas en s'efforçant de se dissimuler contre les parois du couloir, puis ils s'immobilisent et tendent le cou.

Ils aperçoivent alors une sorte de puits brillamment éclairé par un énorme projecteur, autour duquel plusieurs hommes sont massés. Ils ont l'air de creuser le sol à l'aide de machines, mais les enfants ne peuvent distinguer celles-ci avec netteté, à cause de l'éblouissante clarté qui inonde la grotte. Les mineurs sont munis de masques de protection.

Tout à coup, le sourd grondement cesse. Un individu s'approche du projecteur et le fait pivoter sur son pied, orientant le puissant rayon de lumière vers la voûte de la caverne.

— C'est cette lumière que j'ai aperçue du chalet le premier soir... chuchote Mick. Le faisceau passe par une fissure dans le roc... et imprime une colonne lumineuse dans le ciel ! Voilà l'explication d'un autre phénomène qui nous a intrigués !

— Oui, approuve Annie. Et le brouillard coloré qu'on a vu flotter au-dessus du Vieux Château, ce n'était sans doute que la poussière s'envolant dans l'air sous l'effet des machines...

— Exact ! confirme François. Mais on en a assez vu comme ça ! Partons vite avant que ces hommes nous découvrent !

— Eh ! Où sont passés Martin et le berger ? demande Mick. Ah ! je les vois là-bas... dans ce coin. Oh ! On dirait qu'ils font demi-tour et... qu'ils viennent de notre côté !

D'un même mouvement, les quatre jeunes explorateurs retournent sur leurs pas et commencent à gravir la pente du couloir aussi vite qu'ils le peuvent.

— Dépêchons-nous ! halète Mick. Oh ! comme je voudrais que le grondement reprenne ! On doit certainement nous entendre marcher !

Les pas se rapprochent dangereusement. Puis, du fond de la mine, s'élèvent soudain des cris et des appels. Comme les enfants regrettent d'avoir été curieux au point de suivre Martin et le père de Miette ! Ils auraient mieux fait de reprendre la direction des caves et de se mettre à l'abri !

Enfin, les fugitifs atteignent la grotte et, d'un seul élan, se jettent derrière une pile de caisses. Ils espèrent encore réussir à s'enfuir du Vieux Château en empruntant le même chemin qu'à l'aller. Mais d'abord, il faut récupérer Miette. Où est-elle ? Il est difficile de la distinguer parmi toutes ces caisses.

— Miette ! appelle doucement François. Miette !

De la caisse voisine, Mignon, le chevreau, bondit soudain. Sa petite maîtresse ne doit pas être loin.

— Trop tard ! murmure Annie d'une voix blanche. Regardez ! Voici Martin !

Elle n'a pas fini de parler que le jeune fermier débouche à son tour du passage. Il s'apprête à traverser la grotte en courant quand il aperçoit les enfants. Il s'arrête net, les yeux ronds de stupeur.

— Qu'est-ce que vous faites là ? s'écrie-t-il enfin. Venez avec nous ! Vite ! Nous sommes tous en danger !

Le berger paraît à son tour et Miette sort de sa cachette pour courir à lui. Il la regarde comme s'il n'en croyait pas ses yeux puis, se ressaisissant, il la prend dans ses bras et dit quelque chose tout bas à Martin.

Ce dernier se tourne vers François.

— Je vous avais pourtant défendu de vous mêler de cette histoire ! gronde-t-il. Je vous avais dit que je m'en chargeais tout seul. Maintenant, nous allons être pris tous ensemble. Bande d'imbéciles !... Vite... trouvons une cachette. Si on essaie de s'échapper maintenant, ils auront vite fait de nous rattraper. Le temps presse, je vous dis.

Il entraîne les enfants dans un coin d'ombre et empile devant eux cinq ou six caisses vides.

— Ne bougez pas de là ! ordonne-t-il. On va voir ce qu'on peut faire !

CHAPITRE 19

Des renforts inattendus

Les cinq enfants se tiennent immobiles derrière les coffres massifs, souhaitant de tout leur cœur n'être pas vus des bandits. Dans la pénombre, Mick attrape son frère par le bras.

— François, chuchote-t-il. Qu'est-ce qu'on a été bêtes ! Martin n'a jamais fait partie de la bande ! Il cherchait tout simplement à percer le secret du Vieux Château, avec l'aide du berger. À tous les coups, c'est le père de Miette qui, depuis sa bergerie, s'est le premier rendu compte qu'il se tramait quelque chose de bizarre ici. Et il a dû en parler à Martin...

L'aîné des Cinq pousse un soupir.

— Oui, acquiesce-t-il. Tu as raison... Ce n'est donc pas étonnant que le fermier se soit mis en colère quand il s'est aperçu que nous risquions d'embrouiller la situation. Il savait que nous courions un grand danger et il voulait nous en tenir éloignés. Voilà pourquoi il nous a interdit de nous mêler de quoi que ce soit ! Comme tu dis, on a été stupides de ne pas le deviner tout de suite.

— Vous savez où est passé Martin ? demande Claude à voix basse.

— Non. Il a disparu, répond Mick. Il doit se cacher lui aussi. Attention ! J'entends les bandits arriver... En voici un que j'aperçois entre deux caisses ! Il tient une barre de fer à la main. Brrr ! Il n'a pas l'air commode !

D'autres hommes suivent le premier. Ils avancent avec précaution, ignorant le nombre d'ennemis qu'ils risquent de rencontrer. Les enfants, qui regardent en silence par les fentes entre les caisses, comptent sept malfaiteurs. Sept contre Martin et le berger !

Deux des bandits empruntent le tunnel menant aux caves du Vieux Château. Deux autres s'engagent dans celui conduisant au lac de la vallée. Les trois derniers commencent à fourrager parmi les caisses. Le cœur des enfants bat de plus en plus vite. La minute suivante... ils sont pris !

C'est Miette qui a trahi la présence des jeunes aventuriers. En voyant les hommes se

rapprocher d'elle, elle n'a pu retenir un cri de frayeur. Les malfaiteurs n'ont eu besoin que de quelques secondes pour démolir la barricade de caisses protégeant les fugitifs.

Lorsqu'ils constatent qu'ils n'ont devant eux que cinq enfants, les truands ouvrent des yeux ronds. Mais Dagobert ne leur laisse pas le temps de s'étonner. Aboyant furieusement, il s'est élancé en direction d'un des hommes et l'a happé par le bras.

Le gredin se met à hurler tout en essayant de se débarrasser du chien. Mais ce dernier tient bon. Martin profite de cet instant de panique pour intervenir : émergeant tout à coup de l'ombre, il saute sur un autre bandit et l'étend par terre d'un coup de poing. Puis, se retournant, il met aussi hors de combat le troisième complice. Le fermier est une vraie force de la nature !

— Vite ! Échappez-vous ! hurle-t-il aux enfants.

Mais il est trop tard. Les autres hommes, alertés par le bruit, arrivent en courant, tandis que ceux que Martin a frappés se relèvent. François, Mick, Claude, Annie et Miette sont bloqués dans un coin, tandis que le berger est fait prisonnier de son côté. Seuls, Martin et

Dagobert sont en mesure de continuer à se battre... et ne s'en privent pas.

— Oh ! gémit Claude. Dago va se faire tuer ! Regardez cette brute qui essaie de l'assommer avec sa barre de fer !

Le chien esquive le coup et bondit à la gorge de son ennemi qui, lâchant son arme, se dégage et prend la fuite. Dag se lance à ses trousses.

Hélas ! ce combat inégal ne peut durer. Les bandits sont trop nombreux. D'ailleurs, il en arrive d'autres de la mine. Déjà le berger a les mains liées derrière le dos. Martin se débat comme un beau diable quand, écrasé par le nombre, il sent qu'on l'attache à son tour. Seul contre tous, il ne peut rien faire ! C'est en vain qu'il rugit et rue, tel un taureau furieux.

L'un des individus parle plus fort que les autres et semble être leur chef. Il n'a pas participé à la bataille. Il s'approche du fermier.

— Ça vous apprendra à vous mêler de mes affaires, Gouras ! ricane-t-il. Ça fait longtemps que vous et moi sommes ennemis : vous à la ferme et moi ici, au Vieux Château !

— Vous n'êtes qu'une crapule, Nicolas ! riposte le robuste jeune homme avec mépris. Qu'avez-vous fait de votre tante ? Vous la retenez prisonnière dans sa propre maison ! Vous n'avez pas honte ?

Ainsi, le chef des bandits n'est autre que le neveu de Mme Thomas !

François ne peut s'empêcher d'admirer le jeune fermier qui, vaincu et les mains liées, ne craint pas de le défier encore.

« Si on ne s'était pas mêlés de cette affaire, Martin n'aurait pas perdu tout son temps à essayer de nous cacher, songe-t-il. Il serait déjà loin à l'heure qu'il est et aurait pu triompher de ces truands. Si lui et le berger se trouvent tous dans un tel pétrin, c'est notre faute ! Qu'est-ce qui va nous arriver ? Est-ce qu'on va rester prisonniers ? Sans doute... au moins jusqu'à ce que tout le métal ait été extrait de la mine ! Et ça peut durer longtemps ! »

Nicolas se tourne vers ses acolytes pour leur donner des ordres. Dagobert ne cesse de gronder, à moitié étranglé par l'un des bandits qui le maintient solidement par le collier. Claude craint qu'il ne reçoive un mauvais coup. Miette demeure blottie dans un coin, pressant contre elle son chien et son chevreau.

Et soudain, un événement extraordinaire se produit : Martin, encadré par deux robustes mineurs, se dégage de leur étreinte d'un rude coup d'épaule, les bouscule violemment et se jette en avant. Il dévale le tunnel menant au lac...

Tout en courant, il pousse un long cri de triomphe. Quelques hommes font mine de s'élancer à sa suite, mais leur chef les en empêche.

— Laissez-le faire ! ordonne-il avec un rire dédaigneux. Vous savez bien qu'à quelques mètres d'ici, les berges se rétrécissent tellement qu'il faut nager. Or, Gouras a les mains attachées et il ne pourra pas aller bien loin. Il sera obligé de revenir sur ses pas. Inutile de nous fatiguer à lui courir après !

Mais Martin est plus malin que cela. En échappant à ses gardiens, il ne cherche pas à s'enfuir. Il n'a pas la moindre envie de lutter contre le courant furieux les mains liées. Il a un autre plan.

En voyant leur allié disparaître dans l'ombre du tunnel, les enfants sentent leur cœur se serrer. Qui sera désormais en mesure de les défendre ?

Nicolas se tourne vers ses hommes pour continuer à leur dicter ses ordres, quand soudain un rugissement énorme fait trembler tous ceux qui se trouvent réunis dans la grotte. Non pas le vrombissement de l'impétueux torrent souterrain. Non pas le grondement formidable de la mine. Non... ce formidable cri provient de la seule voix de Martin !

Ce dernier appelle successivement ses sept chiens :

— Black ! Roc ! Dick ! Ralf ! Stop ! Jim ! Youki !

Les noms sonores se répercutent d'une paroi à l'autre.

Les jeunes prisonniers et leurs gardiens demeurent bouche bée en entendant une voix si retentissante.

— Ralf ! Ralf ! Youki ! Youki !

Le hurlement explose, encore plus fort.

Le neveu de Mme Thomas éclate de rire.

— Qu'espère-t-il donc, ce pauvre imbécile ? s'écrie-t-il. Il s'imagine peut-être que ses chiens peuvent l'entendre de l'autre bout du tunnel ? Il est fou, je vous dis !

De nouveau la voix énorme résonne dans les profondeurs du couloir, nommant les sept molosses tour à tour : « Dick ! Black ! Roc ! Youki ! Jim ! Stop ! Ralf ! »

Comme Martin appelle le dernier chien, il semble que sa voix se brise. Le berger secoue la tête d'un air accablé. Il craint que le fermier ne se soit abîmé les cordes vocales.

Après cela, un silence de plomb s'abat sur le souterrain. Le fermier a cessé de hurler. Les enfants se sentent soudain effrayés et découragés. Miette se met à pleurer.

Tout à coup, un son vague s'élève des profondeurs du tunnel conduisant au lac de la vallée. Dago tire sur son collier. Il dresse les oreilles, aboie, et reçoit un coup rude de l'homme qui le tient.

— Quel est ce bruit ? demande Nicolas en regardant ses complices.

Mais ceux-ci ne sont pas plus renseignés que lui et personne n'ouvre la bouche.

Le brouhaha se fait plus fort. Et soudain, Claude comprend : ce sont les aboiements furieux de sept molosses déchaînés ! Le berger relève la tête et un sourire de joie vient éclairer son visage. Il jette un coup d'œil à Nicolas.

Le chef des bandits vient à son tour d'identifier le bruit ! Il n'arrive pas à le croire : Martin a réussi à se faire entendre des sept chiens depuis le fond du tunnel !

C'est Roc, vieux et fidèle berger allemand, qui, depuis son poste de garde à l'entrée du souterrain, a le premier perçu l'écho de l'incroyable voix sous les voûtes. Il a instantanément reconnu l'appel au secours de son cher maître. Aussitôt, Roc a aboyé, alertant ainsi les autres molosses. Puis, derrière lui, toute la meute s'est engouffrée dans le tunnel, surmontant les nombreux obstacles, et ne songeant qu'à rejoindre Martin.

Quand les sept chiens le rencontrent, le jeune colosse éprouve une joie profonde. Des langues râpeuses balaient ses joues. Des queues touffues frétillent de plaisir autour de lui.

Mais l'homme a encore les mains attachées.

— Roc ! ordonne-il en mettant ses poignets sous le nez du berger allemand. Mords ! Attaque !

Le vieil animal paraît étonné. Il flaire les liens, sent une odeur étrangère... et comprend. Ce qu'il faut mordre, ce qu'il faut attaquer, c'est cette corde !

Au prix de quelques écorchures sans gravité, Martin se trouve bientôt libre : son fidèle compagnon a rongé son entrave. Alors, le jeune homme prend la tête de la meute et retourne sur ses pas. Dès qu'il entre dans la grotte, il désigne les bandits et ordonne à ses bêtes d'attaquer !

Les mineurs hurlent d'effroi et prennent instantanément la fuite. Leur chef, lui, a déjà disparu. Mais les chiens ne l'entendent pas ainsi. Suivis de leur maître triomphant, ils se ruent sur les traces des fugitifs et ne tardent pas à les cerner dans un coin de la cave. Dagobert, libéré de l'étreinte de son gardien, s'est joint à eux. Même le minuscule Toto aboie de toutes ses forces en essayant de prendre des airs féroces.

Les enfants, transportés de joie, considèrent leurs ennemis vaincus.

— Pas possible ! s'extasie Mick, ravi. Ce qui vient de se passer est vraiment incroyable ! Vive Martin et ses sept chiens !

CHAPITRE 20

Tout est bien qui finit bien

Martin ne permet pas aux enfants de s'attarder dans la grotte.

— Le berger et moi, nous avons pas mal de choses à faire ici, explique-t-il de sa voix sonore. Vous, vous allez vous rendre tout de suite à la ferme et vous téléphonerez à la gendarmerie de Villars-de-Lans. Vous direz simplement : « Martin a gagné la partie. » Les forces de l'ordre comprendront : c'est un code dont nous étions convenus en élaborant notre plan d'action pour piéger cette bande. Vous demanderez qu'on m'envoie une voiture de police assez grande pour embarquer tout ce joli monde. Ce véhicule devra m'attendre sur les bords du lac, dans l'espèce de petite crique où ces bandits amarrent leur bateau. Quant à Nicolas et ses complices, je vais les faire monter sur un des radeaux et les conduire moi-même jusqu'au lac. Allez ! Cette fois-ci, obéissez sans discuter !

— Oui, monsieur ! répondent les jeunes aventuriers d'une seule voix.

Désormais, le fermier leur apparaît comme un héros. Dire qu'il l'ont pris pour un traître ! Alors qu'il se met en route, suivi des ses compagnons, une pensée traverse l'esprit de François. Il revient sur ses pas.

— Et qu'est-ce qu'on va faire pour la vieille dame ? demande-t-il. La tante de Nicolas, il faudrait la délivrer... Et puis... on a enfermé à clef son gardien, Marcel, dans la pièce à côté de la cuisine.

— Ne vous inquiétez pas, répond Martin Gouras d'un air sévère. Je me charge de tout. Emmenez Miette avec vous à la ferme. Elle ne doit pas rester ici. Allez ! Ouste !

François ne se le fait pas répéter. Après un dernier regard aux bandits gardés par les chiens menaçants, les enfants, suivis de Dag, de Toto et du chevreau, remontent le tunnel débouchant dans les caves et traversent celles-ci. Puis, ils atteignent l'ancien puits de mine et se hissent hors du trou, au moyen des cordes qui sont restées accrochées aux luges. Après leurs exploits de la matinée, tous se sentent affamés, mais Claude refuse de s'arrêter.

— Non, non, insiste-t-elle. Il faut téléphoner aux gendarmes sans perdre une minute. Les plans de Martin dépendent de nous ! On mangera chez Mme Gouras.

— Eh ! Vous avez vu comme la neige a fondu ? fait observer Mick. Pendant qu'on était sous terre, le soleil s'est remis à briller et a réchauffé le sol. Il fait un temps magnifique maintenant. Je crains qu'on ne puisse pas utiliser nos luges...

— Tu as raison, conclut François. Il vaut mieux qu'on descende à pied, par le sentier. On tirera les traîneaux derrière nous.

— C'est plus sûr, en effet, approuve Annie. Il faut juste qu'on se presse un peu.

— Eh bien, partons vite, conclut Claude. Tu viens, Miette ?

Mais la fille du berger recule.

— Non, déclare-t-elle. Je ne vais pas à la ferme.

— Mais si, intervient François. Tu vas nous accompagner. Ça nous fera plaisir, tu sais.

Tout en parlant, il a pris dans la sienne la main de la fillette et, soudain, un sourire joyeux illumine le visage de cette dernière. Elle est heureuse de faire plaisir à ses nouveaux amis et accepte de les suivre. Et pourtant, Miette redoute fort de descendre à la Ferme des Joncs. Elle a peur que sa mère l'y attende et craint d'être sévèrement punie pour s'être à nouveau échappée.

— Ne t'inquiète pas, la rassure Annie. Ta maman sera surtout très soulagée de te savoir hors de danger. Et je suis sûre que Mme Gouras t'offrira une grosse barre de chocolat !

Miette serre Mignon et Toto contre elle.

— On y va ? lance Mick.

— On y va ! répondent en chœur les quatre autres.

Les jeunes aventuriers respirent avec délice l'air pur de la montagne. Cela leur fait un drôle d'effet de se retrouver au grand jour après tant d'heures passées sous terre ! Leurs récentes péripéties leur paraissent déjà presque lointaines.

Mme Gouras est très étonnée de voir arriver les enfants. En quelques mots, ils la mettent au courant de l'affaire du Vieux Château et demandent à téléphoner aux gendarmes. Ceux-ci ne semblent absolument pas surpris par le message que leur a fait transmettre Martin.

— Entendu, répond le brigadier qui reçoit l'appel. Nos voitures sont déjà prêtes à partir ;

nous n'attendions que le feu vert de Gouras. Merci de nous avoir avertis.

La fermière invite ensuite ses jeunes hôtes à goûter, et ceux-ci ne se font pas prier. Tout en mangeant, les garçons ne cessent de s'excuser d'avoir pu un seul instant soupçonner Martin d'être de mèche avec les bandits. Mme Gouras rit de bon cœur.

— C'est vrai qu'il est un peu bourru, mon fiston, reconnaît-elle. Les gens trouvent souvent qu'il a l'air suspect parce qu'il parle peu et que sa grosse voix fait très peur.

— On ferait bien de rester ici jusqu'à son retour, suggère Claude au bout d'un moment. Ça nous donnera l'occasion de lui demander pardon de l'avoir mal jugé. Et puis, il pourra nous raconter ce qui s'est passé dans la grotte après notre départ.

— Sans compter qu'il faut que Miette attende son père ! s'écrie Annie.

La fermière accepte avec plaisir de garder les enfants chez elle. Elle promet même de confectionner un bon dîner pour le soir.

François, Mick, Claude, Annie et Miette, après avoir remercié leur hôtesse, se réunissent auprès d'un bon feu pour bavarder. Dago a posé sa tête sur les genoux de sa maîtresse.

— Vous avez vu comment s'est comporté

mon chien ? interroge la jeune fille, toute fière. Il n'a pas hésité à se joindre aux molosses bien que trois d'entre eux l'aient mordu l'autre jour. Je le trouve drôlement courageux !

— C'est vrai, acquiesce Annie... Je me demande ce que les gendarmes vont dire à la pauvre Mme Thomas. Tout d'abord, elle sera contente d'apprendre que son neveu est sain et sauf et que les bandits ont été arrêtés. Mais quand on lui révélera que Nicolas lui a menti et qu'il a lui-même tout manigancé, quel choc !

Mick, pour sa part, ne pense qu'à ce métal mystérieux que les mineurs ont tenté de s'approprier.

— Ils n'ont sans doute pas encore eu le temps de le vendre à un pays étranger, réfléchit-il tout haut. Mais il faut reconnaître que leur plan était magistral.

Martin et le berger ne rentrent qu'à la nuit tombée. François va droit au jeune fermier.

— Nous vous devons des excuses, déclare-t-il en rougissant. On a été tellement bêtes ! Dire qu'on aurait pu vous empêcher de triompher de ces bandits !

Le jeune homme a un large sourire. Il semble tout heureux.

— N'en parlons plus ! répond-il avec bonne

humeur. Tout est bien qui finit bien. Les gendarmes étaient au rendez-vous et tous ces gangsters sont au commissariat à l'heure qu'il est. Quant à Nicolas, il n'avait pas l'air fier, je peux vous le dire ! Nous avons libéré Mme Thomas. La pauvre femme a été conduite chez des amis à elle, qui l'entourent de soins et la consolent. Et, pour ce qui est du métal radioactif, c'est désormais le gouvernement qui se chargera de son exploitation.

— À table ! Le repas est prêt ! appelle Mme Gouras depuis la salle à manger. J'ai fait rôtir du bœuf en ton honneur, Martin. N'oublie pas que c'est ton anniversaire aujourd'hui !

— Figure-toi que je l'avais presque oublié ! répond le jeune homme en riant.

Tous se mettent à manger avec appétit. Martin prélève sept tranches du rôti après que tout le monde a été servi. Puis il se dirige vers la cour de la ferme.

— Black ! Dick ! Roc ! Jim ! Youki ! Stop ! Ralf ! crie-t-il de sa voix tonitruante.

Les enfants sursautent.

— Il régale ses chiens, commente Annie en souriant. C'est vrai qu'ils ont bien mérité une récompense !

— Ouah ! réclame poliment Dagobert, qui s'est avancé sur le seuil.

Le fermier revient sur ses pas en riant. Il va couper deux autres tranches de viande.

— Tenez ! dit-il en les offrant à Dagobert et à Toto. Vous y avez droit vous aussi !

Toute l'assemblée applaudit.

— Eh bien, constate Mme Gouras, amusée, on peut dire que tout le monde aura eu sa part du festin ! Allons, mes enfants, goûtez-moi ce gâteau au chocolat que j'ai cuit pour les vingt-cinq ans de mon Martin... le meilleur fils qui ait jamais existé !

Mick distribue les assiettes à dessert tandis que le fermier, souriant et détendu, écoute les aboiements joyeux de ses sept chiens dans la cour.

— Joyeux anniversaire ! s'écrient les convives en levant leur verre.

Et François ajoute en clignant de l'œil avec malice :

— Nos meilleurs vœux ! À vous... et à votre *voix* !

Car après tout, c'est un peu grâce à elle que cette aventure, si mal commencée, a finalement bien tourné !

FIN

Tu as aimé cette histoire ?
Retrouve toutes les aventures du **CLUB DES CINQ** en Bibliothèque Verte !

Tome 1

Tome 2

Tome 3

Tome 4

Tome 5

Tome 6

Tome 7

Tome 8

Tome 9

Tome 10

Table

hachette s'engage pour
l'environnement en réduisant
l'empreinte carbone de ses livres.
Celle de cet exemplaire est de :

400g éq. CO_2

Rendez-vous sur
www.hachette-durable.fr

PAPIER À BASE DE
FIBRES CERTIFIÉES

Photogravure Nord Compo - Villeneuve-d'Ascq
Imprimé en Roumanie par G. Canale & C. S.A.
Dépôt légal : mars 2019
Achevé d'imprimer : janvier 2019
74.1596.9/01 – ISBN 978-2-01-118317-0
Loi n° 49956 du 16 juillet 1949
sur les publications destinées à la jeunesse